Casos Policiales Reales

Historias verídicas de crímenes, asesinatos y casos violentos

Santiago Fierro Escalante

ÍNDICE

Ladrón sin remedio

El asesino siempre vuelve al lugar del crimen. El asaltante también suele regresar al lugar donde cometió un atraco exitoso. Eso hizo, según el informe policial, Enrique Alciro Pessacq, de 31 años. En los primeros días de la última semana de junio del año 1993, había asaltado la farmacia Miño, sita en Centenario al 4300, entre Paraguay y Unamuno, de Quilmes Oeste, en Argentina.

Le había salido tan bien, que el 1º de julio regresó con dos compinches a bordo de un automóvil marca Taunus de color gris robado. Pessacq creyó que la farmacia siempre iba a estar "de turno" para él, y se equivocó feo.

Cuando se estacionaron frente a la misma, uno de sus secuaces se ofreció para acompañarlo, pero Pessacq, bastante presumido, le dijo que no hacía falta. Que él solo se bastaba, pese a que el negocio estaba lleno de clientes. "Esta farmacia la desvalijo de taquito", aseguró, mandándose la parte.

Y realmente entró como a su casa, desenfundó su revólver calibre 22 y gritó el consabido "¡Esto es un asalto!", como si hiciera falta aclararlo. Los clientes y el dueño se volvieron aterrorizados hacia él, alzando sus manos.

Como para asustarlos todavía más, Pessacq tomó a un hombre del cuello y le puso el arma en la sien, ordenando al dueño y a los presentes que le entregaran todo el dinero y armas, si las tuvieran. Había uno de los allí presentes que tenía una, pero no se la entregó. Este sabía que no iba a revisarlo. Tenía tanta experiencia como el asaltante en esos menesteres, pero actuando para otro bando: el de la ley.

Sí, como suele sucederles a los asaltantes de colectivos, había un policía de la Federal de civil entre los clientes de la farmacia. Este esperó a que el delincuente saliera del negocio para desenfundar su arma y hacerse conocer como tal.

Pessacq perdió entonces todo el aplomo exhibido hasta ese entonces y empezó a disparar. La réplica del agente no se hizo esperar: le metió un balazo en la pierna al asaltante. Este, renqueando, trató de llegar al viejo Taunus. Sus compinches también abrieron fuego y trataron de llevarse a su compañero. Pero otro certero disparo del policía terminó con él: le atravesó el corazón, derrumbándolo sobre la vereda. Entonces sus secuaces optaron por darse a la fuga a toda velocidad.

Tomó intervención la comisaría 3ª de Quilmes Oeste, cuyo titular es el comisario Loayza, y el juez en lo criminal quilmeño Rubén Darío Sánchez. ¿Moraleja? La confianza no sólo mata al gato, también al ladrón.

*****

El caballo de San Martín

La motocicleta es un vehículo peligroso por la velocidad que puede desarrollar sobre apenas dos ruedas, lo que le da muy poca estabilidad. Y los que la adquieren suelen buscar justamente eso: altas velocidades. Pero también es peligrosa porque está a merced de vehículos de mayor porte, no ofrece a su conductor la protección que da un automóvil. Esto último fue lo que provocó la muerte de un motociclista más la noche del 7 de julio del año 1993.

San Martín venía en su caballo de acero por la calle Carlos Pellegrini de Quilmes Oeste, cuando al llegar a la esquina con la avenida Vicente López se topó con un rinoceronte también metálico, pero mucho más grande que su corcel. Metáforas aparte, la moto de cross tripulada por José Fabián San Martín, de 22 años, fue embestida, según testigos, por una combi Volkswagen verde, ocupada por tres jóvenes.

Que estos últimos venían a gran velocidad por la avenida lo testimonia el hecho de que su vehículo, luego de llevarse por delante la moto, ¡se trepó a un árbol! También que los tres muchachos intentaran escapar luego del accidente. Fueron detenidos por vecinos y conducidos a la comisaría 3ª de Quilmes Oeste. Para bajar su combi del árbol tuvieron que intervenir los Bomberos Voluntarios de la zona.

Dicen que en la Batalla de San Lorenzo, San Martín cayó bajo su caballo y el sargento Cabral dio su vida por ayudarlo. Este joven homónimo no tuvo esa suerte: murió pocas horas después en el hospital local, víctima de las heridas sufridas en el accidente ocurrido en la esquina de dos calles que también tenían nombres de próceres: Carlos Pellegrini y Vicente López.

Si en la batalla de San Lorenzo los granaderos hubieran usado motos en lugar de caballos seguramente el general San Martín tampoco hubiera sobrevivido. ¿A quién se le habrá ocurrido inventar un rodado tan atractivo y peligroso al mismo tiempo?

*****

La insólita muerte de Nono Pugliese

Insólita y absurda. Porque habiendo enfrentado las lentes de tantas cámaras toda su vida le dio pánico un fotógrafo. Y porque sufriendo vértigo y miedo a las alturas, siendo prudente, trepó por unos cajones hasta llegar a los techos. Cayó en un taller desde más de 5 metros, y allí se terminó todo.

Labró su popularidad, y su fortuna, por su fotogenia al enfrentarse con las lentes de las cámaras filmadoras, y murió escapando de una fotografía. Murió al pisar una chapa de fibrocemento en mal estado, tratando de preservar su intimidad, pero su muerte no hizo más que develar aspectos de su vida privada. Triste, paradójico destino el del exitoso Alberto Francisco Pugliese, el "Nono" Pugliese, de 56 años, empresario de publicidad, compositor de jingles, político y marido de la modelo Claudia Sánchez.

En la noche del viernes 9 de julio del año 1993 se encontraba cenando en un restaurante no de las afueras, ignoto para los fotógrafos que "hacen la noche" para revistas de actualidad, sino en un restaurante del bajo Palermo, cerca de Plaza Italia, donde suelen acudir ricos y famosos. La cuestión es que esa zona era conocida por ser una zona donde suelen merodear fotógrafos.

Son las leyes del juego, un juego que no hay que confundir con las cacerías de los "paparazzis" yanquis o europeos, que si obtienen la imagen de una princesa en cueros o en actitudes dudosas se paran para el resto de la cosecha. Aquí, a lo sumo, se pueden dar casos como el de los fotógrafos, no cuentapropistas, sino empleados de Editorial Perfil que montaban guardia frente a la casa de la polifuncionaria María Julia Alsogaray, que aceptó las leyes del juego desde el momento en que salió en tapa de la revista "Noticias" en una actitud sexy: tapado de piel e insinuante hombro desnudo.

Generalmente, aunque hay personajes que del anonimato saltan al jet-set, fotógrafos especializados e integrantes de los esplendores de la noche llegan a conocerse y a negociar, a veces diciendo algo como: "Mirá, flaco, no me escrachés con esta pendeja…" Y el tipo queda en deuda. O la situación se arregla con una salutífera trompada. Pero que sepamos, en cuestiones de famosos y fotógrafos, el canibalismo del libre mercado aún no tiene canilla libre. Lo cierto es que el juez de instrucción de esa época Alfredo Barbarosh caratuló la causa como "Accidente fatal".

Eso parece que fue. Dos fotógrafos de la revista "Gente", que montaban guardia en un automóvil marca Taunus de color marrón, medio magullado, a la puerta del restaurante Puerto Marisko, estaban ubicados en calle Demaría al 4600, precisamente donde el famoso Nono Pugliese tenía enfrente su agencia de publicidad, Tim Records.

Esa noche, la actitud del Nono Pugliese fue muy imprevisible, primero porque le encomienda al dueño del restaurante, Juan José Aberikián, que es su amigo, que salga a la calle con la dama con la cual había terminado de cenar (incluso casi habían terminado el café), a fin de despistar a los fotógrafos, para después encontrarse los tres. Pugliese se quedó esperando unos minutos en la cocina. Luego decidió subir por unos cajones y trepar por los techos, haciendo un exitoso equilibrio, terreno que explora por primera vez y siguió escapando por los techos en dirección a la calle Sinclair.

Quizá deseaba llegar y descender en otro restaurante vecino. Un operativo entre suicida e insensato, ya que el mismo general José de San Martín estudió tres años la cordillera de Los Andes antes de cruzarla en 24 días.

Nono Pugliese habrá recorrido todo el mundo, pero no sabía andar por los techos. O tendría el recuerdo de los techos de chapas de zinc de su infancia. Ese techo que se le abrió en la noche tenía algunos tramos de chapas de lana de vidrio, para que se filtre la luz solar.

Era de noche. No había suficiente visibilidad para seguir la línea de clavos. El Nono Pugliese andaba en el techo a oscuras. Cuesta creer que este hombre de la noche solucione una circunstancia dentro de su rutina normal, huyendo a la deriva. Sus amigos dirán que "no estaba bien". ¿Estaría medicado? ¿Qué medicamento tomó, si es que lo hizo?

De pronto apoyó un pie en una chapa que cedió, que se aflojó como una trampa de fatalidad que ya lo estaba esperando, y allí se terminó su carrera, se acabarían sus días en esta tierra. Cayó desde más de cinco metros de altura, en el taller mecánico Rivadavia. Antes de estrellarse, boca abajo, rozó un Fiat 147 en reparaciones.

El propietario del taller, Roque Berardi, esa misma noche habrá creído estar soñando al ver, sobre un charco de sangre, al ganador muchacho dorado de los años sesenta, al vital Nono Pugliese, quien fue internado con traumatismo de cráneo y tórax en el Hospital Fernández, donde finalmente expiró.

La foto que hubiera obtenido el fotógrafo de la revista "Gente" habría sido la imagen de una pareja revolviendo sendos pocillos de café. Ahora, en cambio, se sabe de sobra quién era quién, cuáles eran los vínculos y cuáles las tensiones. No se trataba de una cana al aire.

Quien acompañaba al Nono Pugliese era Dolores Rodríguez Cañedo, 27 años, madre de dos hijos, una mujer independiente y vital con la que el Nono salía desde hacía un año y medio. Estaban por comprar el departamento donde vivirían juntos. El Nono tenía el estudio de filmación cerca del restaurante y, como se dijo, era amigo del dueño, que a su vez conocía a Dolores.

El Nono estaba separado de Claudia Sánchez, quien fuera su pareja durante 28 años, habiendo logrado conformar una sólida pareja muy querida en el ambiente. Tenían un hijo de un poco más de veinte años, y con la hija del anterior matrimonio de Claudia Sánchez era un cuarteto aparentemente inseparable. No hace mucho la ex modelo - que llegó a las exequias vestida de negro, con minifalda y medias negras, y una capa de terciopelo negro, como corresponde a una viuda - había declarado que a Nono le dio el "viejazo".

Dijo la modelo que últimamente el Nono estaba en crisis, como asustado por la edad, que por eso vestía pantalones vaqueros.

"Cuando él estuvo en Miami con nuestro hijo Francisco, que es un chico talentoso, director de publicidad, se sintió envidioso de la juventud de nuestro hijo, se le dio por hacerse el jovencito", dijo la modelo.

En tren de explicar la reacción del Nono: ¿habrá formado parte del "viejazo" el hecho de trepar por los techos, como si la cintura y los reflejos hubieran sido propios de un jovencito?

No lo sabremos nunca. Como fuese, en los años sesenta, tiempos en que Nacha Guevara era más bien fea, cuando estaban de moda Chunchuna ly Karim Pistarini, la pareja Claudia Sánchez-Nono Pugliese se había hecho célebre por la publicidad de los cigarrillos L&M, marca de su nivel por esos días.

Claudia y el Nono habían recorrido los mejores escenarios que turísticamente le brindaron cuarenta países. Desde la Torre Eiffel hasta el cambio de guardia del Vaticano fueron los marcos donde era filmada esta pareja, paradigma de la "gente linda". Y Nono no era un tipo apuesto y nada más. Dirigía las filmaciones, componía la música - últimamente cantaba tangos - y hasta era autor de éxitos como "Tiritando", cuya estética (el viento y la arena) es la misma de los cortos publicitarios (con el seudónimo de Charlie Tonto).

Y no era todo: en 1983 Nono Pugliese fue vocero de prensa del MID (los desarrollistas), y en 1985, candidato a diputado.

Pero volviendo al impulso de este hombre curtido en cámaras, se dice que en el verano del '93, cuando vivía a 15 kilómetros del centro de Punta del Este, Uruguay, con Dolores, cuando evitaba los centros claves donde fotografiaban a ricos y famosos, una noche, mientras cenaba con Dolores, tuvo un altercado con el mismo fotógrafo.

¿Qué pasó allí? ¿No había techos? Parece que esa foto salió publicada. Ahora se baraja como posibilidad que una fotografía con Dolores podría usarse en el juicio -lo cual es improbable- como prueba de infidelidad.

¿Nono Pugliese tenía una fobia con ese fotógrafo en particular? ¿Es posible que tantos contactos con las cámaras hubieran derivado en una fobia? Dicho de otro modo, ¿qué sabemos del estado psíquico del Nono Pugliese de los últimos días? Los amigos coinciden que era un hombre que derrochaba vida. Y algunos, como el dueño del restaurante, que esperaba encontrarlo en la cocina, y a quien le sorprendió el desenlace, aseguró que Nono sufría vértigo.

¿Entonces?

El matrimonio Pugliese estaba tramitando la división de bienes. Y había mucho dinero de por medio. ¿Acaso pensó Nono que la foto perjudicaría su patrimonio? Los bienes gananciales de la pareja -que ahora probablemente heredará Claudia Sánchez- incluían desde la mansión que perteneció a Victoria Ocampo -quizás no menos de dos millones de dólares- hasta campos en la provincia de Buenos Aires y cabañas en Saint-Thomas, en el Caribe.

Fueron tensas las exequias; se pudo ver unos 50 automóviles, casi todos importados, los cuales formaron el cortejo hasta la Chacarita. Dolores lloraba a prudente distancia, en un auto, acompañada de amigas. Después que se hubo retirado Claudia Sánchez, a los diez minutos, ahí sí se abrazó al féretro y rompió en llanto. Las últimas palabras que le había escuchado al difunto fueron "esperame en la esquina".

De farándula, fotos y ciertos intereses...

La muerte del Nono Pugliese admite dudas no sólo sobre su muerte. También pone en el tapete algunos aspectos de la prensa. Así, si se patetiza el caso, debe haber interesados en asignarle al fotógrafo el rol del malo de la película, y sintetizar una constelación de circunstancias, de las cuales al fin y al cabo conocemos unas pocas, y superficialmente, con un esquema al estilo de si no te dejas fotografiar te arranco la vida.

Este aspecto se puede destacar hasta niveles coercitivos, paralizantes, manipulables por quienes están interesados que el periodismo no explore, no indague, no se entrometa en la vida de los ricos y famosos. Al respecto, nunca como hoy la política se mesturó tanto con la farándula. Es más, se entrelazan, se confunden. Si Ramón Ortega pudo ser gobernador de Tucumán y Carlos Alberto Reutemann gobernador de Santa Fe en Argentina, se abren las compuertas para que un día Claudia Bello protagonice un teleteatro o para que Alberto Pierri dirija una película. Después de todo, Pino Solanas, ahora político, empezó como cineasta, y Rico también, si se quiere, fue catapultado a la popularidad por televisión, al aparecer como el indómito protagonista de "una de guerra", metralleta al hombro y la Constitución Nacional fuera del libreto.

Así las cosas, quienes estudian en la universidad la carrera de Ciencias Políticas, aunque se quemen las pestañas tienen menos perspectivas de actuar en política que los que estudian canto o arte dramático. Puesto bajo la lupa este entretejido, la conclusión sería la que sigue: de la misma manera que un fotógrafo lo "persiguió" al Nono Pugliese -que para ilustrar lo que se venía diciendo, fue candidato a diputado- no de otro modo cualquier arriesgado cazador de imágenes podría "matar", por ejemplo, a Manzano. Y desde luego, debe haber políticos, de los que asumieron con una mano atrás y otra delante y que en tiempo récord lograron amasar fortunas como para codearse en Las Leñas, en Punta del Este o en donde sea, con otros ricos y famosos. Esta especie, en tiempos en que todo se politiza, será la primera en adherir a la idea de que al Nono Pugliese "lo asesinó un fotógrafo".

Por lo demás, durante algún tiempo se podrá rumiar cómo el Nono, que le pedía a Daniel Scioli que por favor no corriera, y que sufría vértigo, ganó los techos. Nos abstenemos de interpretar su acto. Lo haría mejor, quizá, Dolores Rodríguez Cañedo, que es psicóloga. Como quiera que fuese, el Nono Pugliese se llevó a la tumba el secreto de su determinación y de esa intimidad que ninguna imagen y ninguna fotografía sería capaz de develar.

*****

Relaciones peligrosas

¿Por qué al sobrino del narcotraficante Pablo Escobar Gaviria no lo dejaron entrar y tampoco radicarse en Argentina, si en su país, Colombia, no está perseguido penalmente? ¿Acaso el Cartel contrario, el de Cali, movió sus influencias en esa región, donde tiene más peso?

El sobrino del narcotraficante colombiano Pablo Escobar Gaviria, Nicanor Escobar Urquijo, pretendió radicarse o asilarse en Chile, luego de tener la certeza de que su vida y la de su familia ya no valían un céntimo en su país. Desde luego que él no reconoce que su tío sea el pope del cartel de Medellín, sino que asegura que una conjura del estado colombiano se puso en marcha para perseguirlo políticamente.

No es extraño que haya elegido a la República de Chile para asilarse, y aislarse. Hoy por hoy es la democracia en la que mayor presencia en el poder tienen los militares. Dijo públicamente que el general Augusto Pinochet Ugarte es tan buena persona como su tío, y que sus situaciones personales son comparables porque ambos son repudiados por la opinión pública internacional pero amados por su pueblo.

La relación del narcotráfico con algunos regímenes militares latinoamericanos no es nueva. Basta recordar a los bolivianos Arce Gómez y García Meza, en su momento admirados por los militares de la última dictadura argentina; al panameño Noriega y otros tantos casos.

Más allá de los negocios que algunos jerarcas de uniforme hayan podido realizar, los narcotraficantes y algunos sectores militares de la región se ayudaron mutuamente. Así pudieron desarrollar sus actividades ilícitas casi con absoluta libertad a cambio de ayudar a la persecución y delación ideológica de algunos componentes de la sociedad; también los narcotraficantes disponen siempre de dinero fresco como para ayudar, mediante préstamos triangulados de dinero, a la compra de armas cuando se cierran las puertas de los mercados internacionales legales. Y todos los militares latinoamericanos de la década del 70 tuvieron como denominador común el lanzarse a una carrera armamentista para vanagloria de su ego uniformado y atemorizar a connacionales y vecinos con ostentaciones y alardes de fuerza.

La década del 80 marcó el inicio de la etapa democrática que vivió la subregión sudamericana, luego extendida a Centroamérica, aunque allí de momento la situación fue más endeble. Y como todo "negocio" internacional que se precie, los narcos encontraron maneras de insertarse en el poder de las democracias.

En Argentina, para no ir demasiado lejos, la Justicia consideró que Mario Caserta, Ramón Puentes y Mario Anello fueron cabezas de una asociación ilícita destinada al lavado del dinero proveniente de la comercialización de estupefacientes ilegales. En esa misma organización, pero con diferentes grados de participación, han tenido actuación Amira Yoma e Ibrahim Al Ibrahim, ciudadano sirio ex militar de inteligencia de su país venido a menos. No hace falta aclarar la inserción en el poder de algunos de estos personajes.

Pero esa inserción no es un hecho aislado, sino que se trata de la estrategia perfectamente organizada de una asociación formada para comerciar con drogas ilícitas. Eso quedó absolutamente claro cuando en mayo del año 1992 Ramón Puentes fue sometido a juicio en una corte federal de la ciudad de Miami, en los Estados Unidos de América. Durante casi dos semanas se escucharon los testimonios de narcos arrepentidos, policías de Estados Unidos y España, y de otras personas que, sin tener conocimiento directo de las actividades de la organización, pudieron dar cuenta de actos conducentes todos a un mismo fin. Se trata de una organización internacional con fines oscuros, armada especialmente para ello.

Uno de los datos advertidos en esas audiencias, y que a muchos llamó poderosamente la atención, es que la mayoría de los integrantes de esa banda, como Puentes y Anello (cuya verdadera identidad es Noel Méndez) sean cubanos exiliados a Miami por chocar ideológicamente con el régimen de Fidel Castro; y que una vez llegados a los Estados Unidos se hayan dedicado al narcotráfico y volcado parte de sus exorbitantes ganancias en financiar actividades de grupos que desde la península de la Florida pretenden el derrocamiento del líder caribeño.

Todos los caminos se cierran. Y ese matiz ideológico fue fundamental a la hora de que los militares latinoamericanos, y luego algunas democracias, decidieran a cambio de dinero y otros beneficios hacer la vista gorda respecto de sus actividades. "Drogas sí, ¡pero comunistas no!", parece haber sido una de las consignas.

*****

Dos súper bandas

En el negocio internacional de la droga existieron dos grandes grupos que manejaban el comercio mundial en los años 90. Por un lado la mafia del Medio Oriente, que extiende sus tentáculos hasta Europa vía el mar Mediterráneo; y la de la parte norte de América del Sur, por su cercanía con el canal de Panamá. Solo que en esta parte del mundo aún hay una encendida y cruel lucha sobre qué subgrupos se quedan con ese territorio.

Y esa lucha sin cuartel y sin miramientos de ninguna especie, la libraban fundamentalmente dos familias: los Escobar, de Medellín, y los Ochoa, de Cali, ambas en territorio colombiano. En nuestro país, es el Cali el grupo que más ha extendido sus negocios. Fabio Ochoa, número dos de la organización, tiene pedido internacional de captura a raíz de su participación en la Operación Langostino (aquella que pretendió la exportación de cocaína hacia el puerto de Filadelfia oculta en cajas de langostinos y pescado congelado de la Pesquera Estrella de

Mar, de Mar del Plata). Puentes, Anello y su organización son meros vendedores de drogas, no la producen, pero la obtienen de grupos de la zona de Cali relacionados con los Ochoa.

Pero los de Medellín también pretenden su porción de mercado en esta parte de los mares del Sur. Muchos correos relacionados con estos dos grupos están purgando prisión en Argentina. Según lo ha revelado una altísima e insospechada fuente del Servicio Penitenciario Federal, en las cárceles de ese país también se da la lucha de los carteles.

Nicolás Escobar Urquijo, sobrino del número 1 del Cartel de Medellín, a quien no se le conocieron aún actividades ilícitas, ni está perseguido penalmente en su país —al punto de que salió libremente para irse a Chile— no pudo ingresar por segunda vez a Argentina y mucho menos radicarse. Es portador del apellido y eso ya es suficiente. Pero Mario Anello, Ramón Puentes, Ibrahim Al Ibraim, Monzer Al Kassar y algunos otros sí lo pudieron hacer sin problemas. Hasta lograron conseguir la radicación, y en algunos casos la ciudadanía, en mucho menos del tiempo que necesitan los hambrientos campesinos paraguayos o bolivianos que van a la Argentina en busca de un futuro mejor.

Todos estos personajes nombrados líneas más arriba tienen alguna cuenta pendiente en algún lugar del mundo. ¡Nadie se preocupó en pedir sus antecedentes a otros países! Si se hubiese hecho se habría sabido, por ejemplo, que Ramón Puentes era buscado por la DEA y el FBI desde 1985. Se radicó en Argentina poco después de julio del '90. Casi todos ellos tienen relación con el Cartel de Cali.

Admitir a alguien que es pariente de uno de los popes del de Medellín, ¡ya es demasiado!

Fue víctima del alcohol (ajena)

Esa noche, la del 7 de agosto de 1988, Marta Sánchez Grifoll, de 21 años, despertó sobresaltada. La habían despertado unos pasos y, para colmo, estaba sola en su casa de Badalona, una localidad de Barcelona, capital de la española Cataluña.

Desde la cama, preguntó si el que había entrado era su hermano. Nadie le respondió. Sin pérdida de tiempo, corrió hacia la puerta del dormitorio. Antes de poder salir, se topó con José Manuel Rodríguez García (24), un amigo de su hermano.

—Pero... ¿qué haces aquí? ¿Es que has venido con mi hermano o qué...?

Tampoco esta vez obtuvo respuesta; José Manuel estaba demasiado ocupado recorriéndole el cuerpo con la vista. Fue entonces cuando Marta recordó que solo llevaba puesta la bombacha. Rápidamente intentó cubrirse los pechos con las manos. Las de José Manuel se lo impidieron.

—¿Creías que iría a conformarme viéndote hoy en la playa cubierta por tu traje de baño...? No, maja, ahora quiero vértelo todo. ¡Y quitaremos también esa molesta bombacha! —habló por fin el intruso.

Marta sintió cómo, de un tirón, el amigo de su hermano le desgarraba la única prenda que llevaba. Y corrió a tapar su desnudez con la sábana.

—¡Basta, José Manuel! —reaccionó—. Te doy la oportunidad de marcharte y olvidaré lo ocurrido.

El joven pareció recapacitar, pese a la borrachera que cargaba. No respondió. Dio media vuelta y salió del dormitorio. Marta volvió a respirar. Extendió la sábana sobre la cama y esperó a que se oyera la puerta. José Manuel demoraba en salir. Pero en fin, ya oiría el portazo y la pesadilla habría pasado.

No fue así. Allí estaba el agresor nuevamente en su habitación. Esta vez, con un cuchillo —que había tomado de la cocina— en la mano.

—Así sí que me gustas más. ¡Toda desnuda! ¡Venga, tírate en la cama de una vez por todas! —dijo José Manuel.

Marta quedó paralizada. El muchacho se lanzó sobre ella e intentó arrojarla sobre el lecho. La chica se defendió como pudo, con gritos, mordiscos, rasguños. El forcejeo no duró demasiado tiempo; lo interrumpió José Manuel con el cuchillo. Cuando salió, Marta estaba degollada sobre el piso.

El homicida regresó a su casa. Fue entonces cuando el hermano de Marta —que se había quedado a dormir allá, tras la borrachera de la noche— despertó.

—Son las seis de la mañana, me voy a mi casa —dijo, mientras comenzaba a vestirse.

En ese momento advirtió que no tenía sus llaves. José Manuel se apresuró a simular que tomaba el llavero del piso —que antes de partir había sacado del pantalón de su amigo, a fin de sorprender a Marta en su casa—y se lo alcanzó.

—Con el alcohol que tenías encima, ni siquiera te diste cuenta de que se te había caído...

Esa mañana, el muchacho creyó volverse loco cuando descubrió a su hermana degollada, tirada en el piso de su habitación. Poco después, los padres de ambos regresaban de sus vacaciones y se hallaban con la horrorosa sorpresa. Juan Manuel fue detenido dos días más tarde. "Hace años que la deseaba. El alcohol precipitó las cosas", confesó.

*****

Un amante de ficción fue asesinado de verdad

Un sábado por la noche se representaba, en el salón parroquial Santa Rosa del Mbutuy —en el paraguayo departamento de Caaguazú—, la obra teatral "Suceso Mateo Gamarra". La pieza está basada en un cantar anónimo, recopilado por Eladio Martínez y Estanislao Báez, que narra una tragedia real ocurrida en Puerto Guaraní el 12 de octubre de 1931, cuando Delfina Servín mató a tiros a su enamorado, Mateo Gamarra.

En el escenario del salón parroquial, Cristóbal Godoy —director y primer actor de la Compañía de Comedias Cristian Rodó— encarnaba a Gamarra y Eladia Benítez de Arévalos, a Delfina. Cuentan que no cabía un alfiler en las butacas; el tema del viejo drama pasional demuestra aún concitar la atención del público paraguayo, que esa noche aplaudía a rabiar al finalizar cada uno de los actos.

Los actores descontaban ya que al concluir el tercer acto —y con él, la obra—, la ovación sería de una magnitud sorprendente. Y llegó nomás el momento en que Delfina (Eladia Benítez de Arévalos) debía descargar cinco balazos en el cuerpo de Mateo (Cristóbal Godoy).

En primer lugar se oyó una frase en guaraní de labios del protagonista: "Si sos mujer de verdad,/ no te has de burlar de mí" (kuñá jepe niko che/ aniche vaerá che burlá).

La actriz accionó, entonces, el gatillo cinco veces consecutivas, mientras una grabación reproducía el sonido de los disparos.

El actor cayó sobre las tablas del escenario. Y lo hizo con tal veracidad que cualquiera hubiera creído que realmente se desplomaba herido de muerte. Los artistas no se habían equivocado; una explosión de aplausos atronó la sala. De modo que nadie pudo oír la frase final que el personaje abatido debía pronunciar desde el suelo: "¿Por qué fue, Delfina,/que de tal manera hiciste esto?" (Mba'ére piko Delfina,/ péicha rejapo che rejhé?).

Sólo la actriz cayó en la cuenta de que las palabras no habían sido pronunciadas. Fue entonces cuando miró a Godoy —aún en el piso— y advirtió que la sangre (verdadera) manaba de su frente. Aun así, le costó creerlo; ya que ella misma había probado, antes de la función, tres o cuatro veces el revólver calibre 38. El error fue que no llegó a probar toda la vuelta del tambor, donde misteriosamente había dos proyectiles.

Cristóbal Godoy falleció mientras era conducido al Centro de Salud de Coronel Oviedo. Se cree que todo se debió a un desgraciado accidente... Pero pensamos, ¿no habrá puesto alguien las balas en el tambor, a fin de que la ficción se convirtiera en la más terrible de las realidades?

De todo un poco

En Concepción del Uruguay, el personal de investigaciones a las órdenes del comisario principal Hugo Rodríguez estuvo a la búsqueda de un "estafador funerario".

¿Cómo es eso? Sucede que un sujeto que dice llamarse López, de unos 45 años, estuvo rondando la zona pidiendo colaboración para enterrar a su madre que todavía no murió, pero le falta poco. Se presentó en una empresa fúnebre de esa ciudad para pedir presupuesto, y con el mismo se fue a "llorar miseria" a la parroquia San Vicente, solicitando 200 pesos como ayuda para poder enterrar a su progenitora.

"Tengo a mi mamá muy grave, su fallecimiento es cuestión de horas y no sé cómo le voy a dar cristiana sepultura" le dijo al párroco, intentando conmoverlo.

Este le dijo que regresara más tarde, y se comunicó con la funeraria para ver qué había de cierto. Al enterarse el supuesto señor López de que el religioso había hecho eso no apareció más. Según trascendió, utilizando ese mismo ardid habría logrado hacer una colecta entre gente de menores recursos económicos.

Ahora la policía está intentado encontrar a ese tal López.

Los siguientes casos merecerían figurar en el Prontuario del Absurdo. Dos sujetos fueron encontrados heridos por la policía y ¡se negaron a decir quiénes los habían atacado! En calle Teniente Ibáñez, entre Ameghino y Carosini, fue hallado caído junto a su bicicleta Lorenzo "Paco" Segovia, de 30 años, sujeto con nutridos antecedentes penales. Tenía una herida cortante en el rostro, de la cual manaba abundante sangre, pero en el interrogatorio de rigor llevado a cabo por personal de la comisaría 1ª no quiso proporcionar la identidad de sus atacantes.

Lo mismo ocurrió con Juan José Larrumbe, quien ingresó con una herida de bala en la órbita ocular izquierda al hospital de Paraná. Lo balearon en el Parque Autódromo, pero no solo se negó a proporcionar datos de sus atacantes, sino que también ¡agredió a un oficial de esa comisaría! El herido tenía pedido de captura en uno de los juzgados de instrucción de esa ciudad.

No se calló en cambio el señor Juan Luis Seyler, a quien le robaron su automóvil marca Citroen importado. Personal de la División de Investigaciones inició una rápida investigación que permitió localizar el vehículo abandonado en una zona periférica de la ciudad con sus parabrisas rotos.

Pero, ¿qué tienen que ver estos tres casos aislados? Aparentemente nada, pero resulta que "Paco" Segovia, quien fue encontrado por personal policial caído con su bicicleta y una herida cortante sería el responsable del robo, junto con Juan

José Larrumbe, quien ingresó con una herida de bala en la órbita ocular.

Parece que los dos planearon el robo en el momento, y luego de ejecutar el hecho comenzaron a discutir, para luego pelearse y terminar como lo hicieron cuando fueron encontrados por la policía.

$$*****$$

Cadena Perpetua

Eran las cuatro de la madrugada del 13 de enero de 1992. Miguel Ángel Sánchez (22) salía de la bailanta Súper Tropical Burzaco. A su lado iba Nora Edith Zelaschi (24). Ambos enfilaron directamente hacia un terreno ubicado en Colón y Carlos Pellegrini, cercano a la bonaerense estación de ferrocarril Burzaco.

Seguramente Miguel y Nora nunca habían leído aquel verso de Ornar Khayyam que decía que la dura piedra o los mullidos almohadones dan igual a los enamorados. Pero pensaban de manera bastante similar, porque les daba lo mismo aquel terreno que un confortable cuarto de hotel. Aunque aquí los motivos parecían ser más bien económicos que filosóficos y ellos no eran lo que puede decirse dos enamorados...

Sí, él buscaba placer, y ella, dinero. De manera que luego de hacer el amor Nora exigió el pago que habían convenido por sus favores. Fue entonces cuando Miguel reconoció que no tenía un solo centavo.

La mujer se sintió burlada y extrajo de su cartera un cuchillo con el que amenazó de muerte a su casual pareja si no recibía el pago de sus servicios. Sánchez, por única respuesta, desarmó a su amenazante, tomó su cinturón y la estranguló. Poco después, una comisión de la seccional segunda de Almirante Brown hallaba el cuerpo desnudo y sin vida de la infortunada joven.

Las investigaciones no demoraron. Pero mientras la policía seguía el rastro del homicida, éste iba en busca de su próxima víctima. Sánchez había obtenido el placer que buscaba sin invertir un peso. Pero eso no solucionaba sus inconvenientes económicos. No tardó, sin embargo, en encontrar esa solución; su suegra cuidaba a una anciana polaca, de nombre Chana de Hustowitz (89), que -según aquélla- tenía cierta cantidad de dólares guardados en su casa.

Ramón Franco (27) y Osvaldo Leguizamón, "Tatú" (19) se unieron a Sánchez en la empresa. Doña Chana fue sorprendida en el patio de su casa, pero logró reconocer -pese al pasamontañas que llevaba puesto- al yerno de la mujer que la cuidaba. Su sagacidad la perdió; un "submarino seco" (bolsa de nylon en la cabeza) y un cable en el cuello se la llevaron de la vida.

Los tres delincuentes terminaron detenidos y les llegó el turno de su juicio oral y público. La Cámara Penal del Departamento Judicial de Lomas de Zamora -integrada por los magistrados Silvestrini, Bacchini y Reinoso- condenó a cadena perpetua a Sánchez y Franco. Leguizamón, en cambio, recibió la pena de reclusión perpetua (luego de 25 años podría quedar libre). Como broche de oro, en el salón del juicio se oyó un cerrado aplauso; la sociedad no quiere más crímenes ni victimarios sin castigo.

La furia popular

Los habitantes de Río de Janeiro estaban hartos de ser asaltados. Sólo así uno se explica que la mayoría justifique el exterminio de los "meninos da rúa", los chicos de la calle, para evitar que lleguen a ser futuros delincuentes (argumento muy discutible, porque cualquiera de ellos puede llegar a ser un nuevo Pelé). Sí, estaban muy cansados sin duda, porque solo eso también puede explicar la forma en que ajusticiaron a tres jóvenes delincuentes.

Estos asaltaron un autobús en el barrio carioca de Olaria, con armas blancas. Una pasajera logró bajarse y alertó a automovilistas y transeúntes. Pronto se formó un nutrido grupo de justicieros, que con sus autos bloquearon el paso del autobús y obligaron a los asaltantes a intentar la fuga a pie. Corriendo, llegaron a una plaza perseguidos por una furiosa multitud e intentaron tomar un taxi. A patadas y puñetazos los bajaron del mismo. Los lapidaron y golpearon hasta dejarlos inconscientes.

Luego algunos les patearon la cabeza, otros les saltaron sobre el tórax. Y hubo uno que hasta les arrojó agua oxigenada con decolorante sobre los rostros reventados para hacerles sentir ardor. Pero las palmas en cuanto a sadismo se las llevó una vecina que los roció con alcohol y propuso prenderles fuego.

Varios acercaron fósforos y encendedores para incendiarlos. Uno de los muchachos recuperó el conocimiento y comenzó a correr en llamas, pero a patadas volvieron a derribarlo. Dos horas se prolongó el linchamiento, durante las cuales ¡la gente impidió que se acercara la policía y los bomberos bloqueando las calles! Solo dejaron acercarse a los reporteros gráficos y los equipos televisivos para que testimoniaran la "justicia popular". Quinientas personas participaron en la ejecución de los asaltantes. Cuando los médicos lograron socorrerlos todavía estaban vivos, pero poco pudieron hacer por ellos.

*****

Una medida justísima

El 30 de junio de 1989, Germán Silo Ventura, de 18 años, estudiante, domiciliado en Miriñay 3563, Capital Federal, Argentina, salía de su domicilio en compañía de otros cuatro adolescentes, alrededor de las once de la noche. La consigna de todos era visitar un nuevo club de baile en la zona céntrica.

Ventura y sus compañeros salieron a la calle alegremente, dispuestos a pasar una velada distendida y agradable. Se encaminaron hacia la parada del colectivo 115 y al llegar a la intersección de Miriñay y Mocoretá apareció, sorpresivamente, un automóvil de alquiler marca Peugeot, desde el cual se efectuaron varios disparos a quemarropa contra el grupo juvenil.

Los tiros impactaron en Germán Ventura —hijo del periodista Genaro Ventura—, quien cayó herido de gravedad. Trasladado de inmediato al Hospital Penna, el joven falleció esa misma noche.

A los 3 años de ese luctuoso episodio, el juez de sentencia, doctor Fernando Talón, impuso 9 años de prisión a José Luis Barrera, uno de los atacantes de Ventura, por el homicidio simple cometido.

Tras conocer el fallo, los defensores de Barrera apelaron invocando ausencia de pruebas definitorias y la causa fue derivada a la Sala I de la Cámara del Crimen, en agosto de 1992.

Este alto tribunal, tras mantener el expediente 11 meses en estudio, condenó a 11 años de prisión a Barrera. La Sala I entendió que el imputado fue sin duda el autor de la muerte del pibe Ventura. Durante la instrucción de la causa también fueron detenidos dos menores de edad por considerárselos cómplices en el hecho y fueron declarados penalmente responsables, pero en virtud de la legislación que rige para los menores, el juez de primera instancia, doctor Talón, aunque los halló incursos en la figura de coautores los exceptuó de cumplir la pena que les cabría.

Barrera es el único mayor del grupo que iba en el automóvil y está señalado como integrante de una barra brava. Al parecer, habría confundido al joven Ventura con otro muchacho con el que había mantenido una discusión a la salida de la cancha donde se habían enfrentado San Lorenzo y Huracán. Una duda queda latente: los menores exceptuados de purgar la condena, ¿habrán asimilado la lección y buscarán una meta más digna para sus vidas? Muchos piensan que a raíz de la benignidad de esa ley los delincuentes profesionales se sirven de los menores para cometer hechos aberrantes sabiendo que no serán condenados. Las noticias policiales están plagadas de ejemplos.

*****

¿Negligencia o fatalidad?

Este es el informe que publicó uno de los diarios de la época al día siguiente de producirse este caso:

Quince años —la primavera de la vida—, y muerta. Muerta, cuando días atrás Nancy Roxana González era una chica supernormal, alegre, con todo el porvenir por delante, sin complejos. Tenía ojos verdes y medía 1,60", dice Amalia Gutiérrez, 36 años, su madre. Y le cuesta articular un tiempo verbal en pretérito. Como si no se resignara.

Tampoco se resignan del todo sus hermanitos; cuando murió Nancy, su hermana Silvana Vanessa, de 13 años, se enfermó. Tuvo inapetencia, insomnio, fiebre. Compartía con ella la afición por la banda de rock Guns N'Roses y otros conjuntos roqueros, congelados ahora en los posters de un cuarto semidesierto. Otra hermanita, Jennifer, de 6 años, de cuando en cuando abandona los dibujos animados, abraza a su madre y le dice: "No llores, mamá, que Nancy está en el cielo".

Se supone que el más pequeño, Jamil, de 2 años, no se daría cuenta. Pero es quien más extraña a Nancy. Claro, si cuando mamá iba a trabajar al supermercado Nancy la sustituía, cuidaba al pequeño. "Nan... Nan... Nan...", suele repetir el pequeño, que aún no sabe pronunciar el nombre completo.

Néstor, el esposo de Amalia, trabaja como operario en una gran empresa. Es posible que en estos días, por el duro golpe, haya disminuido su productividad. Amalia ha dejado su trabajo en el supermercado. No tiene ánimos para pasarse el día entre objetos. Es que a la edad de su hija, 15 años, nadie se va sin dejar huellas, rastros, cicatrices.

Cuenta Amalia que su hija cursaba el segundo año "A" en el colegio Perito Moreno. Y que sus compañeritas y profesores no lo quieren creer. En esos días no hubo clases. El director dio la orden para que se izara la bandera a media asta. La misa de cuerpo presente se ofició en el colegio. Nancy Roxana era una excelente alumna. La muerte prematura no la embellece. Era hermosa, un ser hermoso por donde se le mirara. Su conducta, su relación con ella misma, con su familia, con sus vecinos. Se domiciliaba con sus padres en Las Casas 3636, departamento C, Boedo. Pero, ¿qué le ocurrió a Nancy Roxana González?

—El domingo 6 de junio—refiere Amalia—, a eso de las tres de la mañana, Nancy se despertó con un vómito. Pensé que le habría caído algo mal, algo que habría comido la noche anterior. Le di unas gotas. Alrededor de las diez de la mañana Nancy tenía mucho apetito. Le hice un té y no dejé que se levantara. Ella se puso a hacer la tarea de la escuela.

—¿Le dolía algo? ¿Tuvo algún síntoma, días atrás?

—Se sentía bien. Nunca me comentó que le doliera nada. Dos horas después estaba pálida y transpirando. Me miró en ese momento y me dijo: "Mamá, me voy a morir...".

La ambulancia del servicio de emergencias vino enseguida. "Charo" y Catalina, dos vecinas, acompañaron al doctor Jorge Ángel Bilesio hasta el dormitorio de mi nena. El médico dijo que le parecía que Nancy tenía peritonitis y que había que internarla de urgencia en el Hospital Penna. Estuvo muy acertado.

—¿A qué hora llegaron al Penna?

—Cerca de la una del mediodía. El doctor Bilesio la dejó en la guardia y desapareció. Habremos estado allí una media hora y nadie la atendía. En eso, vino una enfermera y le puso suero. Le pedí por favor a la enfermera que buscara un doctor. Como me contestó que lo buscara yo, salí corriendo por el pasillo. Después de entrar y salir de varios consultorios, vi a uno.

"¿Qué quiere que haga, si yo soy pediatra?", me dijo, de mala gana. Pero pese a todo fue. Le apretó la panza y Nancy se quejó. Aparentemente, sin darle importancia a la cosa, este médico ordenó un electrocardiograma. Pero no se pudo hacer porque faltaba un cable a tierra. A partir de ese momento no apareció nadie más. Al parecer, todos se excusaban diciendo que había un incendio en uno de los quirófanos (circunstancia que fue desmentida por la seccional 32ª; el humo que se propaló había sido producto de una estufa de cuarzo descompuesta).

—¿Y qué ocurrió después?

—La situación no varió. Dos horas en la sala de guardia. Después de permanecer dos horas en la camilla, en la sala de guardia, sin ningún tipo de atención, mi hija intentó reincorporarse pero mi hermana Olga y yo se lo impedimos. Muy pálida y transpirada, en ese momento mi hija me dijo:

"Mamá, quiero dormir...". Mi hermana Olga se asustó y salió, una vez más, a buscar un médico, pero mi hija no habló más. Había muerto.

—¿Y usted qué opina de todo esto?

—Mi hija recién había cumplido los 15 años. Siempre había sido una nena sana y no es cierto lo que dicen los médicos en sus declaraciones, que ella debió haber tenido síntomas de la enfermedad mucho tiempo antes de morir. Previamente Nancy no tuvo fiebre ni ningún síntoma que hiciera sospechar una enfermedad o ese fin. La nena, como dije, murió el domingo 6 de junio. El viernes 4 había concurrido a clase de gimnasia...

Quisiera saber por qué no atendieron de inmediato a mi hija en el Hospital Penna. Quisiera que los médicos Jorge Angel Bilesio, Mario Goldeszer (jefe de Guardia) y Rafael Yablonovsky me expliquen por qué murió mi hija, habiendo permanecido dos horas en la sala de guardia, sin ser atendida.

De acuerdo con la señora Amalia, los médicos ya declararon en sede policial. Pero a quien le espera una ardua tarea es al juez Rawson Paz, que lleva la causa.

Nancy Roxana González solía asistir a los recitales de los Redonditos de Ricota. Solía bailar en la discoteca Puerto de Chiclana y Caseros, pero había en sus días una cadena de cumpleaños de 15, fiestas familiares que empiezan a las 18 para terminar no después de la una.

Cuando Nancy cumplió 15 años la madre le dio a elegir entre la fiesta o "un regalo que le interesara". Ella, cuenta la madre, prefirió un regalo modesto, así y todo tuvo su torta de cumpleaños y el clásico brindis, recuerda la madre, quien, por último, aporta el detalle que faltaba. Un hecho aislado, que no hace a la causa, aunque sí tiene importancia para iluminar el tejido social donde puede encuadrarse, donde podría encuadrarse, una muerte absurda: Amalia es salteña.

Vino a los dieciséis años de Dragones, su pueblito natal, donde viven sus padres con Ariel, su hermano, de 17 años. Dragones dista tres horas de viaje de la capital salteña. En los primeros días de junio Ariel tuvo tos y gripe pero también un ataque de apendicitis. El médico clínico de ese pequeño pueblo de Salta aguardó a que se le curara la gripe para atacar la apendicitis. Ariel fue operado —sin dramas, cuenta Amalia— en el hospital de Embarcación, a una hora y media de Dragones...

—Y acá —reflexiona Amalia— con dos obras sociales, con la de mi marido y la mía... Dígame si no es para volverme loca, cuando desde el interior miramos a Buenos Aires... (Hace un gesto amplio, como instalando a Buenos Aires en un alto pedestal fosforescente, en un sitio donde el dolor, la muerte, no lo podrían alcanzar, porque se supone, por ese ademán, que en Buenos Aires debe estar la última palabra de la ciencia, de la técnica, de la civilización... y acaso de lo que se entiende por caridad o amor al prójimo... descontando que en los cargos de responsabilidad hay gente que sencillamente cumple, sin más vueltas, con su deber).

El informe de la autopsia

Según el perito forense, en informe al juez nacional de Instrucción doctor Oscar Rawson Paz (N° 26, secretaría Subías, N°134), la autopsia N°1325, correspondiente al cadáver de Nancy Roxana González (15), arrojó los siguientes datos:

"En cumplimiento de lo dispuesto por V.S. hemos

practicado hoy en la Morgue Judicial la autopsia del cadáver de una mujer menor, remitido por la Policía Federal seccional 32ª como perteneciente a NANCY ROXANA GONZALEZ, de nacionalidad argentina, de 15 años de edad, domicilio Las Casas 3636, P.B. C, Cap. falleció el 6/6/93 a las 16.20 horas en Hospital Agudos Penna, a raíz de: ingresa a la guardia con Diagnóstico Peritoneal con Shock Séptico, Muerte por Causas Dudosas. (Versión Policial).

Examen externo:

"Cadáver de una mujer; de buen desarrollo óseo y muscular; en buen estado de nutrición; de talla 157 cm; color blanco; cabellos castaños; ojos pardos; nariz, boca y orejas medianas; peso en Kgrs. 53; envergadura 160 cm.

Dentadura: buen estado de conservación; completa.

Por su aspecto general y datos expuestos, aparenta una edad comprendida entre los 16 y 18 años. No se observan señas particulares.

Conclusiones:

La muerte de NANCY ROXANA GONZALEZ fue producida por Congestión y edema agudo de pulmón. Poliserositis.

Se pide examen histopatológico de encéfalo, corazón, fragmentos de pulmón, riñón, piel, hígado, páncreas, suprarrenal, músculo, bazo, útero y anexos, intestino, estómago cuyo resultado una vez en nuestro poder elevaremos a V.S. Se pide investigación de grupo sanguíneo y Rh y líquido peritoneal, cuyo resultado es: grupo sanguíneo: 'A' positivo. Liquido peritoneal: cuyo resultado se adjunta.

Se pide investigación de alcohol etílico y metílico en sangre, cuyo resultado es: no contiene

Guardamos vísceras en frasco N° 1 y trozos de distintas vísceras para que los Sres. Peritos Químicos realicen el examen toxicológico de las mismas.

Dios guarde a V.S."

Firma el doctor Julio Alberto Ravioli y figura otra firma, ilegible en la copia que poseemos.

N. de la R. Es importante tener en cuenta que la hora de muerte que registra el hospital es 16.20, mientras que su madre – como las tías y vecinas – insisten en que el deceso ocurrió a las 15.

Si usted ha perdido un ser querido, que se le murió en sus brazos, jamás olvidará la hora de la muerte. Es difícil, entonces, pensar que los familiares que estuvieron junto a la chica en el momento final hayan equivocado el detalle de la muerte en una hora y veinte minutos.

Sí, es muy difícil. Se nos ocurre que la familia Gutiérrez tendrá que liberar una gran batalla judicial y con muchas cuestiones en su contra, pues no cuentan —según hemos deducido de la charla que mantuvimos con la señora Amalia Gutiérrez —con ningún tipo de padrinazgo político; solo con el apoyo del periodismo, que busca la verdad de los hechos hasta las últimas consecuencias.

Pero de acuerdo con fotocopias de la exposición que hicieran los médicos ante la Justicia, se deduce que estuvieron peleándola a la muerte por casi una hora. Podría ocurrir entonces, que la muerte propiamente dicha no se produjera a las 15 como dice la angustiada madre, sino que pudo tener algunos signos vitales que impulsaron a realizar el trabajo de resucitación. Es en este punto donde existen las grandes dudas que rodean este caso de un hondo misterio. A la señora Amalia Gutiérrez se le murió una hija de quince años y tiene sus serias dudas sobre la conducta médica del Hospital Penna (desconfiando inclusive de la hora que figura en los certificados oficiales). La Justicia decidirá a su tiempo dónde está la respuesta que la señora Gutiérrez espera.

*****

Aquel asunto fulero

Por las noches y después de la cena, la plática amenizada con unos amargos se había vuelto una verdadera ceremonia de amor. En ese momento los dos tejían los sueños que dibujaban el futuro de cada uno de los tres hijos; ninguno de ellos debería ser lo que hoy era su padre; ellos serían los que contentaran todas sus insatisfacciones.

Los dos sabían que todos esos sueños tenían sus bases en los estudios, ellos eran muy inteligentes y lo harían; serían el orgullo de su padre, embrutecido físicamente por el trabajo y una madre que le sacaba la punta finita a los lápices de colores que dibujaban los primeros garabatos de deseos.

Enofrio solía soñar despierto con el momento en que les hablara de la vida a sus hijos ya hombres, así como algún día su padre lo había hecho con él. También les hablaría de los peldaños que tiene la gran escalera de la vida, les marcaría el tiempo de comenzar a marchar solos fijando claramente el recorrido para no torcer las raíces, afianzarse a la tierra como el ñandubay (espinillo autóctono de Argentina y Brasil) y conservar el color y la belleza del jacarandá.

Así quería ver a sus gurises (niños pequeños) y distinguirlos de los demás, porque a su entender él ya había puesto en sus manos el gran desafío. Pensaba que era tiempo para el comienzo de la gran truqueada con la vida. ¡Vamos a ver! —pensaba pa' sus adentros— si les supe contagiar mi estirpe guaraní para hacerle frente a una contraflor desafiando al resto que viene después.

Los pensamientos del mencho sonaban algo altaneros y la soberbia no le dejaba ver cuánto miedo metía al creer que les hablaba a sus gurises con palabras claras, sencillas y sin ofensas.

Todo su tiempo se detuvo una tarde de invierno; el turno escolar de la tarde se despedía a los gritos pelados y las madres correteaban detrás de los guardapolvos prolijamente almidonados. La nota estaba marcada en el cuaderno con tinta roja, roja como la bronca que enegueció al Enofrio Zequeiras.

La cita era a las dos de la tarde, justo a la hora en que el sol generoso calentaba la tarde y la hacía especial para el manduque de mandarinas recién arrancadas del árbol. Las palabras de la educadora fueron como una sentencia a un hijo: "Problemas de aprendizaje", "maestra especial", "retraso", dijo la maestra. Al parecer no fue mucho más allá el diálogo, ya que el Enofrio enloqueció y con su cuchillo abrió el pecho de la mujer, que calló sin un quejido.

Salió tan rápido como alma que se la lleva el diablo, muchos pensamientos ennegrecieron su razonamiento; muchos de sus sueños murieron esa tarde en que también mató a la mujer que había admirado por los hermosos hijos que le parió. Después de esa tarde no se lo vio más por el pago, pero sigue suspirando bajo otros cielos y en otros inviernos que le vuelven a marcar "aquel asunto fulero".

Enofrio Zequeiras estaba ensimismado en sus pensamientos. Suspiraba profundamente ahogando un llanto de desesperanzas. Su vista recorría el desolado paisaje del invierno que había ganado su espacio por imposición.

Un nuevo invierno que le marcaba el paso del tiempo descubriendo así el justo lugar de avances, retrocesos y olvidos sin rencores. Cada uno de los que se han tenido que ir sabe hasta dónde penetra el dolor del desarraigo. A más de uno se nos despintó una sonrisa añorando una siesta correntina calentada por el sol, o quizá, la mesa familiar bajo la luz clara en una noche de luna llena. Así, muchas veces lo sorprendían los recuerdos que le agriaban la saliva que tragaba. Sucede que el hombre ya no estaba contento; demasiados sinsabores le había traído tener que marcharse de su pago porá por "aquel asunto fulero".

Él había sido un hombre feliz cuando la eligió por esposa a la Mirta Gladys Verón, hija de la primera peluquera que se conoció allá por sus pagos. Era una guanita un poco nariz parada; se pavoneaba exhibiendo sus lindos vestidos o los peinados que su madre le inventaba en la cabeza. Otros con el alma oxidada por la envidia le solían decir que era la hija de "Mambrú", ya que cuando le preguntaba a su madre por su padre, ésta le decía: "Se fue a la guerra y algún día volverá".

Ningún chismerío amainó los sentimientos del Enofrio Zequeiras, que se sentía importante al ser aceptado por la guaina a la que él le había echado el ojo. Las burlas hacia ella sólo despertaban en él más ternura y ganas de acariciar a su cuñataí.

Ella fue buena mujer, le parió con fortuna tres veces dándole tres hijos varones. Aun cuando el tiempo pasara el deseo por aquella guaina rubia y de ojos siesteros no decaía y se iba tornando en una extraña admiración.

Muchas veces se preguntaba pa' sus adentros cómo una mujer como ella seguía queriendo a un mencho tan brutazo como él. Lo único que había aprendido en su vida fue despostar vacas, primero en el matadero clandestino que tenía su finado padre; y luego, cuando la miliquiada se puso por demás protestona, se empleó en el frigorífico más grande de Corrientes y cada vez fue haciendo mejor trabajo, que a su vez lo iba embruteciendo cada vez más.

La admiración que sentía por su mujer lo obligaba a apurar el paso al salir de su trabajo y llegar a tiempo para matear mientras miraba cómo su Gladys les enseñaba a sus gurises a escribir en los cuadernos forrados de papel araña de color azul.

*****

Colección de hechos curiosos

Juego de niños

Los miembros de la tristemente célebre pandilla de Cornu (una de las bandas parisienses más aterradoras de fines de siglo XVIII) instruían a sus hijos en los secretos del delito. Para habituarlos en la práctica del crimen, no tenían mejor idea que hacerlos jugar con las calaveras de sus víctimas.

Error de facturación

La imposición de un tributo equivocado causó la muerte de 4 personas. La tragedia ocurrió el 31 de agosto de 1950, en Napoleón, Ohio, Estados Unidos, cuando un contribuyente sufrió un ataque de locura al enterarse de la suma que debía pagar, calculada erróneamente.

Floyd Hefflinger (el protagonista del grave suceso) no pudo soportar el pico de irritación que le provocó la lectura del monto excesivo del gravamen y, totalmente exacerbado, se armó de un revólver y mató a sus 3 hijos, suicidándose después.

Amigo lector, mantenga la calma, que usted tampoco está vacunado. En cualquier momento puede recibir la factura del teléfono (u otro servicio) con cifras astronómicas. Antes de actuar, sumerja la cabeza en agua fría.

Vieja lacra

Los juegos de azar han empobrecido a más de un ciudadano. Y no es cuento. En cualquiera de sus formas, el "ejercicio recreativo" de jugar por dinero debilita los flacos bolsillos. Porque sujeto a ciertas reglas por las cuales se gana o se pierde, generalmente se desperdicia el dinero ganado con esfuerzo.

El vicio del juego apasiona, pero también envilece. Y no es un pecado nuevo. El 15 de abril de 1826, en previsión de grandes contingencias resultantes de los juegos de azar, el Poder Ejecutivo de la República Argentina los prohibió en todas sus variantes. Para decretar la veda tuvo en cuenta la solicitud del comisario encargado del Departamento de Policía, alarmado por los hechos desgraciados que habían afectado a muchas familias.

El cazador afable

El parisiense Henri Désiré Landrú (1896-1922) fue acusado de matar a 11 mujeres pero, a pesar de todas las evidencias, resultó difícil reunir las pruebas para condenarlo. Y los tropiezos judiciales surgieron porque el inculpado era un verdadero "artista" dentro de su morbosa especialidad, un tenebroso sujeto que adoptaba múltiples precauciones y hacia desaparecer las señales comprometedoras.

El método criminal del nuevo Barba Azul consistía en anunciar —por medio de avisos en los diarios— que vivía solo, que tenía algún dinero y que deseaba contraer matrimonio. Al reunirse con las candidatas se esmeraba, hacía gala de su talento de gran seductor y las inducía a retirar sus ahorros bancarios. Después, durante los preparativos de la proyectada "boda", las llevaba a conocer su villa de Gambais y las "volatilizaba".

Llovido del cielo

Allá por 1970, en Barcelona, España, un avispado sujeto simulaba ser atropellado por un vehículo, casi siempre guiado por hombres de edad madura acompañados de jovencitas, golpeando con la mano en el guardabarros trasero y dejándose caer al suelo. El conductor se detenía, se apeaba y cuando veía a la presunta víctima en el mal trance, le daba la suma de dinero que ésta le exigía para evitar el procedimiento policial, la publicidad y el escándalo.

*****

¿Y si releemos el "Nunca Más"?

A la violencia criminal de la guerrilla le sucedió la no menos criminal y absolutamente ciega violencia del terrorismo de estado. Hoy, que muchos no entienden que la democracia es como el amor, que hay que cultivarla diariamente y apostrofan a la clase política que aún está lejos de la madurez anhelada, conviene releer uno de los documentos cumbres del horror en la Argentina. Para no olvidar.

Muchos y aterradores son los testimonios de quienes pudieron terminar con vida los secuestros del Proceso. Dos de ellos salieron de labios de la psicóloga María Candeloro. En el primero narra las torturas que padeció junto a su esposo y la muerte de éste en la Base Aérea de Mar del Plata:

"Uno de los hombres me dijo: '¿Así que vos sos psicóloga? Puta, como todas las psicólogas. Acá vas a saber lo que es bueno…' y comenzó a darme puñetazos en el estómago...

El infierno había comenzado. Estaba en el centro de detención ilegal llamado la "Cueva", instalación ubicada en la Base Aeronáutica de Mar del Plata, que había sido una vieja estación de radar, que ya no funcionaba como tal. Dirigida por un consejo perteneciente a las tres armas. El lugar, salvo en los momentos de interrogatorios, controles, preparación de operativos o traslados estaba a cargo de personas que cubrían guardias desde las siete u ocho de la mañana hasta el otro día a la misma hora. Al parecer uno de ellos era el responsable y de mayor grado, perteneciente a la Aeronáutica, el otro perteneciente al Ejército".

"La última vez que oí a mi esposo fue el 28 de junio. Siempre lo llevaban a él primero (a la sala de tortura) y luego a mí. Esta vez fue al revés. En medio del interrogatorio trajeron a mi marido, le dijeron que si no hablaba, iba a matarme. Comenzaron a aplicarme la picana para que él oyera mis quejidos y él me habló a mí gritando: 'Querida, te amo, nunca pensé que podrían meterte a vos en esto'. Estas palabras los enfurecieron, las últimas frases eran entrecortadas, lo estaban picaneando, me desataron y me tiraron en mi celda".

"Estaban ensañados con él, su interrogatorio no terminaba nunca. De pronto se oyó un grito desgarrador, penetrante, aún lo conservo en mis oídos, nunca podré olvidarlo. Fue su último grito y de pronto el silencio. Mi esposo murió ese día, 28 de junio, víctima de torturas". (Legajo N- 7305).

El testimonio restante refiere el suplicio y muerte de otro abogado, el doctor Centeno:

"Esa noche de espanto y de horror que compartí con Mercedes fue denominada por los represores 'la noche de las corbatas', ya que la casi totalidad de los prisioneros ingresados eran abogados...

Había mucho ruido y música a gran volumen; por momentos los gemidos y gritos de los torturados superaban la música...

Cuando los torturadores se fueron, tuve la sensación como que había quedado un tendal de moribundos... El doctor Centeno se quejaba continuamente. En un momento, me sacaron de mi celda para que le diera agua... Estaba tirado en el suelo. Apenas pude subir mi capucha a la altura de mis ojos. Pedí que me sacaran las esposas. No le di de beber en el jarro de aluminio que me alcanzaron. Ya me habían alertado a mí. Con una mano subí un poco su cabeza, mojé mi vestido y le humedecí los labios. No sé si fué precisamente al día siguiente, pero habían pasado varias horas. Los interrogadores volvieron, dijeron: 'Traigan a Centeno'. Volvieron a torturarlo en ese estado. Pensamos (con Mercedes, su compañera de celda) que no iba a soportar. Y así fue".

"Los asesinaron. Arrastraron su cuerpo, y debieron dejarlo contra nuestra puerta. Se oyó un golpe contra la madera".

Marta Candeloro fue liberada unos meses más tarde, luego de haber sido trasladada a la comisaría 4ª de Mar del Plata. En el Chaco, entretanto, la Brigada de Investigaciones de Resistencia habilitaba varios sitios clandestinos de tortura, amén de su propia sede. Una mujer, que responde a las iniciales G. de V., relató parte de lo que allí ocurría por entonces:

"Fui detenida en un operativo el 29 de abril de 1976 junto a mi hijo de 8 meses de edad en la ciudad de Resistencia. El personal que Intervino era de la Brigada de Investigaciones del Chaco. Inmediatamente me trasladaron a dicha brigada, que se encuentra ubicada a escasos metros de la Casa de Gobierno (...). Asimismo fui violada y golpeada en la planta de los pies con un martillo por espacio de tres horas. Al sexto día me llevaron a los calabozos de recuperación, donde fui visitada, interrogada y amenazada de muerte por el coronel Larrateguy - jefe del Regimiento del Chaco.

En ese lugar permanecí detenida junto a varios fusilados el 13 de diciembre en Margarita Belén (...). El 23 de abril de 1977, en San Miguel de Tucumán, fueron secuestrados por personal uniformado y de civil mi suegra, N.D.V., de 62 años, y mi hijo, de un año y ocho meses. Mi niño fue entregado en la Sede Central de la Policía Provincial a las 48 horas. Mi suegra permanece aún desaparecida".

"Me sometieron a Consejo de Guerra y la condena que me aplicaron - 24 años y 11 meses de reclusión - fue dejada sin efecto por la Corte Suprema de Justicia el 5 de diciembre de 1983 (5 días antes de asumir las autoridades democráticas)". (G. de V., legajo Nº 3102)

Entre abril y noviembre de 1976, la Unidad Penitenciaria Nº 1, de Córdoba, fue ocupada por fuerzas del Ejército. En ese lapso, ocurrieron allí cosas como las que cuentan las siguientes personas:

"Estuve con Gustavo De Breuil y Jorge Oscar García en la misma celda. Como se sabe, ambos fueron muertos por fuerzas militares, quienes argumentaron en la información entregada a la prensa que se trató de un 'intento de fuga'. Ese asesinato fue presenciado por Jorge De Breuil, ya que lo obligaron a asistir a la ejecución del grupo donde se encontraba su hermano, diciéndole que nos contara luego cómo había sido, ya que nos iba a pasar lo mismo a todos. Asimismo, delante de todos nosotros fue ejecutado el detenido Bauduco, el 5 de julio de 1976.

Un suboficial del Ejército lo golpeó en la cabeza, y como no podía levantarse lo amenazó con matarlo. Extrajo una pistola, la montó y le disparó en la cabeza. El 14 de julio de ese año pude ver desde la ventana de la celda cuando era estaqueado en el patio el detenido René Moukarzel, a quien le arrojaban agua fría y se le propinaban golpes. Murió durante la madrugada. El teniente Alsina tuvo activa participación en este hecho.

Hasta diciembre de 1976 se registraron 28 presos políticos muertos en distintas circunstancias, debido al régimen imperante en ese penal" (José María Niztschman, legajo N° 7597).

"En junio de 1977 fui trasladado como rehén desde la Unidad 9 de La Plata a Córdoba, junto con otras 23 personas. Nos llevaron a La Perla, donde un oficial nos comunicó un mensaje personal del general Menéndez. Este oficial nos señaló que 'La Hiena' - así gustaba ser llamado Menéndez - había decidido que si durante el viaje que el presidente Videla haría al norte sucedía algún atentado terrorista, seríamos nosotros quienes pagaríamos culpas ajenas. La lista era curiosa: si moría un soldado, alguien del público o algún trabajador, entonces moríamos cuatro de nosotros; si la víctima en cambio era un suboficial, la equivalencia aumentaba, y así a medida que la escala ascendía, llegábamos, como es lógico, a la figura de Videla. En ese caso, sin vacilar seríamos pasados todos por las armas". (Jorge Bonardel, legajo N°5782).

En la localidad jujeña de Guerrero ocurrió lo que a continuación narra Humberto Campos, acusado de liderar un grupo guerrillero por el comisario general Haig, a cuyas órdenes había servido en un tiempo:

"Cuando llegamos a uno de los edificios del complejo fui

introducido a una sala donde observé gran cantidad de detenidos que llevaban vendas en los ojos y que se encontraban detenidos en lastimosas condiciones físicas. En ese momento fui vendado y maniatado con el resto. Al día siguiente me llevaron a un cuarto con otros dos muchachos, Miguel Garnica y Germán Córdoba, ambos desaparecidos al día de la fecha. Esa misma tarde fui llevado al primer piso, donde me torturaron brutalmente con golpes y submarino, participando personalmente Haig y Viltes.

Luego de eso fui trasladado al 'salón de los sentenciados', donde se encontraba la gente que no iba a salir más. Había en ese lugar 18 detenidos. Todas las noches nos hacían enumerar y éramos torturados diariamente todos los que estábamos allí. Las torturas consistían principalmente en arrojar agua hervida en el ano y entre las piernas, alambres al rojo en las nalgas y golpes con tablas sobre espaldas y piernas hasta el desvanecimiento. Como comida nos daban un pedazo de cebolla o un repollo crudo para compartir entre varios. Todas las noches escuchábamos disparos y permanentemente éramos amenazados de muerte.

Durante la noche se hacía cargo del campo Gendarmería Nacional, por la mañana el Ejército y por la tarde la Policía. De los que estábamos allí recuerdo a mi tío, Salvador Cruz. Román Riveros, Domingo Reales, Miguel Garnica y a su hermano menor, Germán Córdoba, a los hermanos Díaz, a Manzu y al doctor Aredes. Todos ellos de la localidad de Calilegua y ciudad Libertador General San Martín, se encuentran desaparecidos. En ese momento estaban en muy malas condiciones físicas y mentales, ya que presentaban cuadros de gangrena en los ojos, manos y piernas. Varios de ellos deliraban.

En una oportunidad en que me llevaron a la tortura escuché que

Haig decía que había que hacernos confesar, y en realidad se refería a una confesión que me fue solicitada por monseñor Medina, diciéndome que a cambio de ella recibiría el perdón y un juicio. Le manifesté que no tenía nada que confesar. Me acusó de terco y la gente que estaba a su lado comenzó a golpearme. A pesar de todo eso, al poco tiempo me trasladaron a la Jefatura de Policía de Jujuy, donde me legalizaron". (Humberto Campos, legajo N° 2545).

Por su parte, Oscar Bermúdez (legajo N°476) revela las versiones oficiales de las muertes de algunos secuestrados:

"En un vehículo me trasladaron hasta la 'Escuelita'. Al rato de estar acostado en el suelo, muy golpeado, pude establecer contacto con un viejo amigo mío, Darío Rossi, quien me preguntó desesperado por su mujer e hija. Después de ser legalizado en la cárcel de Villa Floresta leí en el diario que una persona había sido baleada en un enfrentamiento. Era Darío Rossi. Este era el destino para algunos de los secuestrados en este centro clandestino".

Inclusive, también pasaron a ser "desaparecidos" los policías que no estaban de acuerdo con los métodos del Proceso. Tal el caso del oficial inspector (Policía Federal) Aristegui, que un buen día decidió informar las muertes de los detenidos a sus familiares. Su viuda narró el caso con estas palabras:

"Apenas transcurridos los días desde la desaparición de Carlos María... la esposa de un suboficial de Policía... me hizo saber que 'no lo busque más porque ya lo mataron'." (Mónica De Napoli de Aristegui, legajo N°2448).

Estos son apenas unos contados casos. Pero quizá basten para dar una idea de la época de terror que debió padecer la Argentina durante el régimen del Proceso. Por eso, antes de pensar en la mediocridad de nuestra sociedad política -que ya irá mejorando con los años- hay que reflexionar sobre este recuerdo. Es cierto, pues, que más vale un mal gobierno civil que un duro gobierno militar.

Nunca se podrá cuestionar la corrupción militar, en cambio la democracia permite cuestionar sin límite. Y ello, poco a poco, servirá para desarrollar la capacidad reflexiva de la sociedad y, por ende, ir mejorándola.

Esto tampoco quiere decir que debamos tolerar tanta corrupción. El voto es la mejor arma para sacar a puntapiés a los políticos que aspiran al poder para salir de pobres en pocos meses... ¡a costas de los bolsillos del contribuyente!

Nunca más un golpe militar. Recordando

No parecerá reiterativo decir una vez más que el drama de la represión ilegal en la Argentina alcanzó a todos y a cada uno de los sectores de la comunidad. Tanto la grey católica como las otras confesiones fueron también protagonistas, a través de sus miembros religiosos o laicos.

El terrorismo de Estado persiguió con significativo ensañamiento a los religiosos que estaban comprometidos con la causa de los más carenciados y con aquellos que sostenían una actitud de denuncia frente a la violación sistemática de los derechos humanos. Así fue como sacerdotes, religiosos, religiosas, seminaristas, catequistas, entre otros, y miembros de otras confesiones, sufrieron el azote del secuestro, vejaciones, torturas y en muchos casos, la muerte.

Profesión de fe cristiana de los militares frente al

anticristianismo de la represión.

La ambivalencia de los responsables de la represión no conoció límites: mientras se preconizaba aquello del "estilo de vida occidental y cristiano", el desprecio hacia la criatura humana fue constante.

En abril de 1976, el entonces coronel Juan Bautista Sasiaiñ, quien fuera más tarde jefe de la Policía Federal, afirmaba que "el Ejército valora al hombre como tal, porque el Ejército es cristiano" (diario "La Nación", 10 de abril de 1976). Al año siguiente el almirante Emilio Massera expresaba: "Nosotros cuando actuamos como poder político seguimos siendo católicos; los sacerdotes católicos cuando actúan como poder espiritual siguen siendo ciudadanos. Sería pecado de soberbia pretender que unos y otros sean infalibles en sus juicios y en sus decisiones. Sin embargo, como todos obramos a partir del amor, que es el sustento de nuestra religión, no tenemos problemas y las relaciones son óptimas, tal como corresponde a cristianos" (entrevista concedida a la revista "Familia Cristiana", reproducida por el diario "Clarín" el 13 de marzo de 1977). Es posible también recordar cuando en época más reciente el general Jorge Rafael Videla se refirió al "Informe final sobre desaparecidos", dado a conocer por la última Junta Militar (abril de 1983) como "un acto de amor".

Veamos cómo se interpretó ese amor al semejante, transcribiendo a continuación algunos testimonios:

"Para Navidad de 1977, se reforzaron las medidas de seguridad internas y ocurrió algo inaudito. Alrededor de 15 prisioneros fuimos llevados a una misa oficiada en el Casino de Oficiales de la ESMA. En el hall del salón de los dormitorios habían levantado un altar sencillo y habían colocado bancos. Todos estábamos engrillados, esposados con las manos detrás de la espalda y encapuchados. Nos sacaron las capuchas y el capitán Acosta nos dijo que para celebrarse la fiesta de Navidad cristiana habían decidido que pudiésemos oír misa, confesarnos y comulgar los que éramos creyentes y los que no lo fueran para que tuviesen tranquilidad espiritual y pensáramos todos que la vida y la paz son posibles, que la Escuela de Mecánica todo lo podía hacer.

Entre tanto se oían gritos de los que eran torturados y el ruido de las cadenas arrastradas de los que eran llevados al baño en la sección 'Capucha'. En mi caso, mi formación cristiana y la presión de todo lo que estaba viviendo hizo que me confesara. Allí nos pusieron la capucha". (Testimonio de Lisandro Raúl Cubas, legajo N° 6974).

"En una fecha próxima al 24 de diciembre de 1976, se hizo presente el almirante Massera junto con el contraalmirante Chamorro, el capitán Acosta y algunos miembros del Grupo de Tarea 3. En esa oportunidad, exhibiendo un cinismo e hipocresía sin límites, ante una treintena de prisioneros con sus piernas sujetas con grilletas, nos deseó 'Feliz Navidad'". (Testimonio de Graciela Daieo y Andrés Castillo, legajo N° 4816).

"... Antes de permitirnos acostar en el suelo para dormir, el personal de guardia nos obligaba a rezar en voz alta un 'Padre Nuestro', un 'Ave María', a la vez que nos exhortaban a 'darlas gracias a Dios porque han vivido un día más' y también para que 'ese día no fuese el último'. Después nos acostábamos". (Testimonio de Juan Martín, legajo N° 440).

"... Luego sufrí dos simulacros de muerte: uno por fusilamiento y el otro, por envenenamiento. Previamente a esos simulacros me preguntaron si quería rezar y me ofrecieron un rosario. Por el tacto (conservaba los ojos vendados) pude reconocer que el objeto que me habían dado no era un rosario sino la cruz que mi hija llevaba siempre al cuello (un objeto muy característico de tipo artesanal). Entendí que se trataba de un modo sádico de anunciarme que mi hija también se encontraba allí. Yo rezaba y lloraba. Entonces me respondían con obscenidades, amenazas y gritos. Decían: 'Cállate. Esto te pasa por andar con ese barbudo, con ese p... (se referían a Jesucristo)'. 'Por eso están así ahora'." (Testimonio de Leonor Isabel Alonso, legajo N° 5263).

"... Nos llevaron a la Comisaría 36 de la Policía Federal de Villa Soldati... Cuando gritaba ellos silbaban, hacían ruido para tapar los gritos. Después me llevaron a un calabozo y al rato vinieron otros a decirme que 'iba a los militares', que iba a ver que los romanos no sabían nada cuando perseguían a los primeros cristianos en comparación con los militares argentinos". (Testimonio del sacerdote Patrick Rice, legajo N° 6976).

"Por medio de una amiga que trabaja en una empresa privada donde pedían informes al SIDE, para tomar empleados, mandé el dato de María Leonor y la respuesta decía 'detenida en el operativo antijesuita en Mendoza'... Hablé con el padre Iñaqui de Azpiazu y él averiguó por un militar conocido que el operativo había existido pero no podía dar más información". (Denuncia de la desaparición de María Leonor Mercuri Monzó formulada por su madre, Dolores Monzó de Mercuri, legajo N°378).

"Sin embargo, los torturadores se hallaban aparentemente confundidos, sin mayores datos sobre el tema del interrogatorio, fundamentalmente la Iglesia. Cuando supieron que era católico, me hicieron rezar y que hiciese rezar a todos los presos, lo que culminó violentamente cuando pedía por aquellos que nos

tenían secuestrados". (Testimonio de Néstor Busso, legajo N°
2095).

"... la persona que me interrogaba perdió la paciencia, se enojó
diciéndome: 'Vos no sos un guerrillero, no estás en la violencia,
pero vos no te das cuenta que al irte a vivir allí (en la villa) con
tu cultura, unís a la gente, unís a los pobres y unir a los pobres
es subversión...".

"Alrededor de los días 17 o 18 volvió el otro hombre que me
había tratado respetuosamente en el interrogatorio y me dijo:"...
Usted es un cura idealista, un místico, diría yo, un cura piola,
solamente tiene un error, que es haber interpretado demasiado
materialmente la doctrina de Cristo. Cristo habla de los pobres,
pero cuando habla de los pobres habla de los pobres de espíritu
y usted hizo una interpretación materialista de eso, y se ha ido
a vivir con los pobres materialmente. En la Argentina, los
pobres de espíritu son los ricos y usted, en adelante, deberá
dedicarse a ayudar más a los ricos que son los que realmente
están necesitados espiritualmente". (Testimonio del sacerdote
Orlando Virgilio Yorio, legajo N° 6328).

"...Ya sabía que me encontraba en la tristemente célebre
Escuela de Mecánica de la Armada...".

"Permanecí en aquel sótano durante ocho meses, los cuatro
últimos me llevaban a dormir al altillo. Descubrí allí el horror
de 'Capucha' que hasta ese momento solo conocía por
referencia. En el sótano vi llegar a secuestrados, vivía en medio
de los gritos de la tortura, conocía el llanto de recién nacidos en
cautiverio. Supe de verdad lo que era la "guerra sucia" llevada
adelante por seres que decidían el destino de una vida como si
se tratara tan solo de un número, guiados -según decían- por la
mano de Dios que les había encomendado 'la gran tarea'...".

(Testimonio de Nilda Noemí Actis Goretta, legajo Nº 6321).

"... En una oportunidad se presentó en la cárcel el obispo Witte acompañado por el capitán Marcó, quien llevaba en sus brazos al hijo de Graciela Borelli, nacido en cautiverio, estando ella detenida en otro sector de la misma cárcel; el obispo nos dio una misa a los detenidos, quienes éramos tenidos del brazo por un guardia cárcel durante el oficio religioso; terminada la misa el obispo procedió a entregar a cada detenido una medalla y un abrazo que nos enviaba el Papa Paulo VI a los presos políticos. Al darle el abrazo le dije al oído al obispo que avisara a mí familia que me encontraba en ese lugar, que estaba bien y que no se preocuparan; mi familia nunca recibió el mensaje...". (Testimonio de Plutarco Antonio Schaller, legajo Nº 4952).

*****

Pedido de captura doble

Si nos enteramos de que un amigo o conocido cometió un delito contra seres totalmente inocentes e indefensos, ¿hasta qué punto podemos callar esa verdad y no hacer la denuncia? ¿Hasta qué punto nuestra conciencia nos permitirá sellar nuestras bocas y ver que a nuestro alrededor, víctimas y familiares claman por justicia?

Esta debe ser la situación de los que, por una u otra razón, conocían a Osvaldo Aníbal Mohamed, de 56 años, odontólogo, separado, sin hijos y con domicilio (el último) en Dorrego 2159 de Mar del Plata, en Argentina. Quizá la amistad o el famoso "no te metas" inciden para que nadie denuncie dónde está o dónde vive. Pero, ¡vamos, señores! Mohamed es buscado por la Justicia a raíz de dos hechos delictivos que hielan la sangre. Primero lea, después denuncie dónde está.

Osvaldo Aníbal Mohamed conoció a Elba Ruiz, de 44 años, divorciada, ejecutiva de la firma Pchuamar, en una reunión familiar en la ciudad de Mar del Plata. Ella era muy independiente, muy dueña de sí y poseedora de una belleza que no pasaba inadvertida.

A principios de agosto del año 1992, Elba decidió cortar la relación por ser Osvaldo excesivamente celoso y dominante. Tras aclarar esta situación, la mujer partió a una convención comercial, a realizarse en Buenos Aires, en representación de su empresa marplatense.

El 11 de agosto de ese año Elba y un par de colegas salieron de un coqueto hotel de la avenida Las Heras rumbo a Plaza Italia, alrededor de las 8.40 de la noche. Mohamed, oculto detrás de unos árboles, la vio salir, se le acercó y le propuso reanudar su noviazgo. Ante la negativa de ella y sin mediar palabra, el hombre le tiró al rostro ácido muriático.

Apenas seis meses después, en febrero del año 1993, Silvana Elena Oddone, de 13 años, alumna de segundo año del Liceo Nº 22, pidió permiso a su madre para dar una vuelta en bicicleta. Salió a la calle Emilio Mitre al 800 y se puso a andar.

Su alegría duró tan sólo unos pocos metros. Una camioneta pickup F-100 la arrastró por la calle y su asesino huyó. Sólo detuvo su marcha a unos doscientos metros de aquel patético lugar para arrancar el resto de la bicicleta de Silvana, que había quedado en la parte baja de la camioneta.

Algunos vecinos corrieron hacia el inerte cuerpito tirado en mitad de la calle. Otros intentaron desesperadamente recordar el número de la chapa patente asesina. Todos, sin excepción, quedaron desconsolados cuando la ambulancia del servicio de emergencia levantó el cadáver y partió rumbo al Hospital Ramos Mejía, sin esperanza alguna.

A raíz del ataque sufrido por Elba Ruiz, el magistrado Rengel Mirat denegó la eximición de prisión que solicitó un abogado local para el caso de que Mohamed se presentara a declarar. Desde agosto de 1992, el pedido de captura para el dentista Mohamed se hizo efectivo.

Respecto del homicidio perpetrado en la persona de Silvana, las distintas pericias e investigaciones llevaron a localizar al dueño de la camioneta F-100. Un nombre y un apellido amartilló los corazones: ¡Osvaldo Aníbal Mohamed, el odontólogo prófugo! Así nació otro pedido de captura.

Alguien tiene que saber de él. Alguien debe conocer dónde está.

¿Hasta qué punto nuestra conciencia sellará nuestras bocas? ¿Hasta cuándo podremos dormir sin decir la verdad?

*****

El hombre de la bolsa

Los vahos etílicos inspiraban a Edgar Allan Poe para las atmósferas de sus cuentos, de las cuales las películas de terror sacaron las bisagras sin aceitar, las telarañas en recovecos ocultos y el gato (negro) que maúlla en la oscuridad.

El Frankenstein de Mary Shelley fue otro golazo a las zonas oscuras de la imaginación. Para algunos estudiosos Frankenstein fue el primero de los mitos modernos. La autora, hija de un naturalista y esposa de un poeta que se la pasaba oliendo flores, coleccionando sensaciones exquisitas, se inclinó a los estudios del galvanismo y de la incipiente electricidad. Y así se le ocurrió ese engendro, hecho con retazos de cadáveres.

La saga gótica del conde Drácula completó el rompecabezas, aportando una ambientación de cementerios nocturnales, lápidas con siglas misteriosas y muertos que resucitan.

Todo esto, que ya pertenece por derecho propio a la cultura

popular y al inconsciente colectivo, estudiado por el doctor Cari Jung, se pone en movimiento cuando ocurre algo raro en los camposantos. Y no se sabe si los agentes de la Unidad Regional de La Plata pensaban en Frankenstein y compañía cuando vieron salir del fondo de la diagonal 74, la más larga de La Plata, ya que termina en el río, a un tipo con una bolsa.

Identificado, el hombre de la bolsa resultó ser Carlos Alberto Mari, de 42 años. En la bolsa traía un esqueleto. Entonces, al menos no se trataba de un homicidio. Todo esqueleto es un cadáver con antigüedad. Carlos Alberto Mari admitió que había sustraído el esqueleto de un nicho. Con los restos humanos también había una placa de bronce, con la leyenda identificatoria: "Tomás Pazienza, 21-4-71". Y hasta acá la escueta información.

¿Estaría destinado el esqueleto a algún estudiante de medicina, de los que deben rendir anatomía en el primer año? Los huesos amarillentos que emplean los estudiantes se transmiten de carnada en carnada, pero siempre son bienvenidos. El bronce se reduce, se sabe, y tiene un precio que fluctúa en el mercado de los cirujas. Y no sabemos si el esqueleto era el del señor Pazienza. De todo esto se infiere que hubo poca vigilancia, o escasa, o nula.

Si en el cementerio de la Chacarita pudieron cortar alguna vez las manos del mismísimo general Perón, si el cementerio israelita de Berazategui sufrió hace unos años una serie de depredaciones, si hubo -¿la seguirá habiendo?— toda una industria en torno de los féretros reciclados, entonces a no extrañarse de la bolsa negra que portaba Carlos Alberto Mari, de quien ignoramos si era la primera vez que había robado en el cementerio de La Plata, si operaba solo, si su hecho tuvo fines lucrativos, u otros.

Como quiera que fuese, Carlos Alberto Mari disparó ese dispositivo que opera sobre el miedo a la oscuridad -que es uno de los miedos básicos infantiles— y que arrastra a su vez las catedrales sombrías de Poe, la atmósfera que respiraba Drácula, los misterios de Frankenstein, además de otras tradiciones románticas que seguramente no figurarán en el sumario policial, pero sí en la imaginación de algunos de nuestros lectores.

*****

La mano derecha de la oscuridad

"La Mano Derecha de la Oscuridad" es un famoso cuento de ciencia ficción de Ursula K Le Guinn sobre un planeta medieval, pero viene como anillo al dedo para titular lo que le ocurrió a la señora María Esther Sotto, de 65 años, a quien sometieron también a prácticas medievales. Sí, porque los médicos de esa época, cuando ignoraban cómo curar el mal que aquejaba una parte del cuerpo de alguien, directamente amputaban.

Según el relato de la señora, domiciliada encalle Intendente Giménez 262 de laciudad de Gualeguay, Entre Ríos, la pesadilla para ella empezó el 19 de julio del año 1989 con un simple dolorcito en el dedo índice de la mano derecha. Cuando consultó a los médicos de la Clínica Uruguay, de Concepción del Uruguay, casi se desmaya. "Hay que amputar la primera falange del dedo" le dijeron. La intervención quirúrgica se llevó a cabo, pero los dolores persistieron.

La señora Sotto consultó entonces a otro facultativo, un traumatólogo, aconsejada por el médico que la operó la primera vez. Este siguió dándole malas noticias: había que amputarle la segunda falange del mismo dedo. La operación se llevó a cabo en el mismo nosocomio. Pero los dolores no se fueron con la parte cortada.

La mujer consultó a otro traumatólogo, previo tratamiento con una kinesióloga que no logró recuperar la amplitud articular total del movimiento en la mano operada. Le había quedado casi inutilizada luego de las dos amputaciones, y encima le seguía doliendo. Otro traumatólogo le aconsejó practicar una nueva intervención quirúrgica, habida cuenta que el muñón que le quedaba era antifuncional.

Transcurridos 4 meses aproximadamente de esa última operación, a mediados de 1990 recurre al mismo profesional; ¡quien aconseja y practica una nueva intervención! Pero eso nada soluciona, y luego de una nueva consulta de la paciente, la deriva a otros centros de mayor complejidad en Capital Federal: los hospitales Fernández, Argerich o Santojanni.

La señora, impotente por no poder realizar ningún tipo de tareas y acusando siempre dolores en la zona intervenida, finalmente recurrió al Hospital Interzonal de Agudos Eva Perón, sito en General San Martín, provincia de Buenos Aires. Allí le realizaron tres intervenciones más, pero éstas sí fueron efectivas. El dolor finalmente cesó, pero tuvieron que realizarle cirugías reparadoras por la mala praxis consumada en el hospital entrerriano.

Igualmente, la mano derecha quedó inutilizada, convertida por malos médicos en una mano cortada e inutilizada. Esta situación llevó a la señora Sotto a intentar suicidarse. Su marido llegó justo a tiempo para salvarla cuando estaba por ahorcarse en un galpón.

Si la incitación al suicidio es un crimen, ¿pueden quedar impunes los que llevaron con su mala praxis a una mujer al borde de la autoeliminación? ¿Pueden quedar sin castigo los que -según ella- desfiguraron su mano derecha, la que usaba para trabajar, firmar, y escribir?

*****

Un libertino de muy larga vida

Louis Armstrong cantó "Enfermería de San Jaime" con una dramaticidad poco común.

Alrededor de 1760 aparecía en Irlanda una balada titulada "El libertino desafortunado" (The unfortunate rake). En ella, el tal libertino, a punto de morir por una enfermedad venérea, señalaba a modo de testamento: "Que seis de mis camaradas carguen mi ataúd / que seis chicas de la ciudad me acompañen/ y cada una de ellas lleve un ramo de rosas rojas/ así no sentirán mi hedor cuando vayan a mi lado.// Y batan sus tambores y toquen suavemente sus pífanos/ y entonen una marcha fúnebre mientras me llevan...".

De Irlanda, la balada pasó a Inglaterra (se sabe que fue impresa en Londres en 1808), donde se convirtió en "El lamento de las malas chicas" (The bad girls lament). Tiempo después, en el inglés puerto de Liverpool, reapareció en una nueva versión, esta vez titulada "Hospital de San Jaime" (Saint James

Hospital).

La antigua balada cruzó el Atlántico, en el siglo pasado, llegó a los Estados Unidos y allí se diversificó en mil y una variantes. Algunos de los títulos norteamericanos son "El lamento del cowboy" (Cowboy's lament), también conocido como "Las calles de Laredo" (The streets of Laredo), "El salvaje leñador" (The wild lumberjack), "Las rameras de la ciudad" (The whores of the city), "Enfermería de San José" (Saint Joe Infirm'ry),

"Enfermería de San Jaime" (Saint James Infirm'ry) y "Blues del tahúr" (Gambler's blues).

Aún en nuestra centuria, reapareció como "Himno de la Real Marina", en Inglaterra, y "Cuéntame más" (Tell me more), en los Estados Unidos, esta vez con una letra de la genial Billie Holiday. Además de esta última, varias de las versiones de autor anónimo integraron el repertorio jazzístico. Son las tituladas "Enfermería de San Jaime" y "Blues del tahúr" (aunque, salvo el ritmo que le imprimieron los cantantes y músicos de jazz, nada tiene de blues la antiquísima balada).

"Enfermería de San Jaime", variando la versión original irlandesa, convierte al personaje de la historia en mujer: "Me llegué hasta la 'Enfermería de San Jaime';/ allí estaba mi chica./Yacía en una helada mesa de mármol,/ bien, la miré y me marché". Luego, se narra el entierro con una clara deuda a las estrofas irlandesas: "Dieciséis caballos azabaches/ tiraban de un carro municipal;/ llevaban siete chicas al cementerio/y solo una de ellas era negra.// Seis tahúres cargan los féretros/ y tres rameras entonan un canto fúnebre,/ una jazz band lanza su ritmo,/¡todo es un infierno a mi alrededor!/ Unos tocan lentamente los pífanos y otros baten suavemente los tambores,/mientras yo llevo a mi nena.../¡Allá va mi chica hacia su destino!"

También el "Blues del tahúr" repite algunos de los conceptos de la balada irlandesa: "Cuando muera, quiero que seis fulleros carguen mi ataúd/ y que tres hermosas mujeres canten una canción; / pongan una jazz band en mi carroza/ y que todo sea un infierno mientras marchamos.// Que ellos me acompañen al cementerio,/ que seis alegres compañeros me carguen/ y que, en cada una de sus manos, haya un ramo de verdes laureles,/así no sentirán mi hedor mientras vamos andando".

Muchas cosas fueron cambiando, a través del tiempo, en la vieja balada. Entre las que perduraron, están esos personajes fuera de la ley, al parecer, inmortales: tahúres y prostitutas.

$$*****$$

Matar al abuelito

En una noche clara de luna llena, un peón recorría la estancia de propiedad de la familia Pereyra Iraola verificando el estado de las alambradas, cuando lo encontró. El anciano yacía boca abajo al lado de un gran tronco. Vestía camiseta y pantalón de traje, y la camisa y el saco que debería haber tenido puestos por el frío reinante asomaban de una bolsa de polietileno. Claro, el pobre viejito ya no los necesitaba porque estaba más helado que el clima: hacía rato que había muerto. Quizás antes había sentido frío, porque cerca de él reposaban dos botellas: una de alcohol puro y otra de licor de chocolate. O tal vez las había tomado para animarse a suicidarse. Sí, porque tenía las dos caras anteriores de sus codos cortadas. Cerca de su cadáver reposaba lo que aparentemente había usado para inferirse las heridas: una cuchilla para descarnar reses, de 15 centímetros de hoja.

Esas eran las hipótesis que dictaban las apariencias. Era lo que cualquier ciudadano común habría deducido de inmediato al verlo, influenciado por los despiadados tiempos que corren para la clase pasiva. ¿Cuántos jubilados se han suicidado últimamente? Muchos, demasiados, acorralados por un plan económico que parece condenarlos al exterminio. Y que conste que los que esto escriben son trabajadores, con padres jubilados, y tienen todo el derecho de defenderlos, de clamar por una vida mejor para ellos, porque nunca llegarán a pagar esos impuestos a la riqueza a los que hace referencia esa propaganda televisiva del gobierno, que siembra dudas sobre los que reclaman por la clase pasiva.

"Otro jubilado que no aguantó más", sería la explicación inmediata, reiteramos, que se le ocurriría a cualquier persona común al ver el cadáver de este anciano hallado en la localidad bonaerense de Gutiérrez.

Pero para certificarlo están los médicos forenses y los policías. Y el peón que halló el cuerpo, que también creyó que se trataba de un suicidio, convocó para tal tarea a los de la comisaría de Gutiérrez. Y ¡oh sorpresa! El forense descartó que los cortes en los brazos fueran la causa de la muerte. Hubo que remitir el cadáver a la morgue para que la autopsia revelara la verdadera causa del deceso. Pero no fue suicidio, al anciano lo mataron.

Y entonces uno tiene que plantearse nuevas hipótesis. Y razona que julio es la época del año en que menos jubilados se suicidan, porque cobran el aguinaldo. Una suma de dinero que puede ser tentación para cualquier ladrón. Y también uno recuerda que en agosto, si el gobierno cumple con su promesa, algunos jubilados -deberían ser todos- cobrarán la totalidad de la deuda previsional. Entonces el pasivo se convierte en una víctima de robo más tentadora todavía. ¿Y si a este anciano lo mataron para robarle sus bocones? ¿O su aguinaldo? ¿Y si lo asfixiaron y luego lo llevaron a ese lugar y le cortaron los brazos para simular un suicidio?

Cerca del cuerpo se hallaron una caja con remedios, una receta médica, un kilo de azúcar y unos 22 pesos, aparte de las botellas y la cuchilla. Esta última es el elemento más fuera de lugar, porque el viejito no vestía como un peón. Su ropa y las cosas que llevaba encima hacen pensar más en un jubilado que salió a hacer unas compras, o a cobrar su aguinaldo, que en un suicida. Pero sólo estamos lanzando hipótesis. Cuando el juez interviniente, doctor Rubén Darío Sánchez, del Departamento Judicial de Quilmes, reciba los resultados de la autopsia y se averigüe la identidad del occiso se podrá empezar a desentrañar este misterio. Por ahora la causa está caratulada como "Muerte dudosa". ¿Vio cómo cambió la cosa a partir del examen forense? Lo que dábamos por sentado cambió por completo. No hay nada que hacerle, las apariencias siempre son engañosas.

*****

El Prontuario de lo absurdo

He aquí un catálogo de los hechos policiales insólitos de aquí y de allá

Holanda: frutos del incesto

Los nombres de los involucrados se mantienen en reserva por razones obvias. A comienzos de 1991, un obrero forestal de la localidad protestante de Epe, al norte del país, fue condenado a 7 años de cárcel por violar a sus dos hijas desde que estas habían cumplido los 8 años. La madre de las mismas también fue sentenciada a 3 años y medio de prisión por permitirlo.

Esta se benefició con una liberación anticipada, pero ahora será enjuiciada de nuevo por múltiples homicidios. Resulta que una de sus hijas, actualmente de 26 años, ahora se atrevió a contar algo que había silenciado durante dos años: que tanto ella como su hermana, actualmente de 25 años, cuando quedaron embarazadas de su padre tuvieron que sufrir varios abortos caseros primero y el asesinato de los recién nacidos después. Su madre los consumó durante los 14 años de violaciones.

China: asesino por despecho

El "¡mía o de nadie!" ha sido el generador de innumerables dramas pasionales. Muchos hombres han preferido matar a sus parejas antes de dejarlas con otro. Pero lo que Wang Dianwen hizo no tiene nombre. Perdidamente enamorado de Li, una joven estudiante de una escuela secundaria de Xing Anmeng, en Mongolia Interior, se enfureció cuando ésta lo rechazó.

El joven de 18 años se dirigió a la casa de la chica armado con un hacha y explosivos. Si ella no era suya no lo sería de nadie.

Pero he aquí que Li no estaba en casa cuando él llegó. Solo se encontraban allí dos hermanitos de ella junto a dos amiguitos haciendo sus tareas escolares. Wang Dianwen los ató con cuerdas y ¡los mató a hachazos a los cuatro! El joven hizo todo eso solo porque la señorita Li rechazó sus propuestas amorosas.

Colombia: preso suplente

El fiscal Gustavo de Greiff ordenó que le trajeran al capitán retirado de la policía Jorge Eduardo Rojas Cruz, alias "K-6", de la prisión donde estaba detenido, con el firme propósito de interrogarlo.

El sujeto, que se desempeñaba como jefe de seguridad del

Cartel de Cali, había sido recientemente detenido y acusado de delito de homicidio con fines terroristas. Tenía 35 años, piel trigueña y cabello corto, por lo que el fiscal se sorprendió cuando al Cuerpo Técnico de la Fiscalía General le trajeron a un negro de 40 años.

¿Qué había sucedido? Pues que Rojas Cruz se había fugado de la prisión dejando a un reemplazante en su celda. "Esto es terrible, porque indica niveles de corrupción o niveles de ineficiencia, o muchas cosas sombrías y tristes para el país", afirmó De Greiff. Los capos narcos ya tienen dobles como en el cine.

Francia: bombardeados con aire

En el festival aéreo de Le Bourget, que se realiza en París anualmente entre el 11 y el 20 de junio, se prueban los últimos prototipos de cazas de combate.

Se disfraza de espectáculo de acrobacia lo que en realidad es una feria de armamentos, donde concurren militares y expertos de todos los países interesados en adquirir los últimos adelantos de la tecnología aeronáutica francesa.

Estos seguramente comprarán de inmediato el cazabombardero que dejó un tendal de periodistas heridos. Porque no utilizó ningún armamento novedoso, ¡simplemente voló a baja altura!

La turbulencia que provocó derrumbó un stand completo sobre los pobres reporteros gráficos que cubrían el evento. Claro que también colaboró bastante el fuerte viento que corría en el momento de la pasada.

Estados Unidos: ejecución en tribunales

El juicio llevaba cuatro años de duración, y después de tanto sufrimiento Ellie Nesler, una divorciada de 40 años de edad, iba a perderlo. Daniel Driver, de 35 años, había abusado sexualmente del hijo de la señora, de solo 7 años, y por la falta de pruebas y la habilidad de los abogados defensores iba a salir en libertad.

Ellie estaba furiosa, y cuando se volvió para mirar al acusado éste le sonrió burlonamente. Fue la gota que rebasó el vaso. La mujer salió de los Tribunales de Jamestown y volvió con una pistola calibre 25.

¡La mujer le disparó cinco balazos en la cabeza! Los guardias de seguridad iban a dispararle cuando Jan Martínez, hermana de la madre vengadora, corrió a cobijarla. Ahora está acusada de asesinato, pero se ha convertido en una heroína en Jamestown.

"Yo hubiera hecho lo mismo que ella", dijo Lynn Jahncke, de 42 años, ex pareja de Driver, que se separó de aquel cuando el hombre empezó a manosear a un hijo suyo de 11 años. Y el ejecutado ya había estado convicto en 1983 por molestar niños en Santa Clara.

Chile: dormidos al descenso

Muchos se preguntaron cómo los jugadores del club Iberia, de la tercera división del fútbol chileno, pudieron estar tan desconcentrados durante un partido clave para mantener la categoría. Parecían medio dormidos, y en realidad lo estaban.

Wenceslao Aguilera Reyes, auxiliar médico del equipo, confesó ante un juez que aceptó un soborno de 250 dólares para suministrarles un somnífero a los futbolistas en las horas previas al partido. Lo hizo para que el equipo perdiera y descendiera de categoría.

¿Qué tal? Una forma inédita de soborno, porque generalmente era a los jugadores a los que se les pagaba para que fueran a menos.

Lo que parece ridículo es lo que cobró el auxiliar para drogar al equipo. 250 dólares por correr el riesgo de ir preso por varios años parece demasiado poco.

La Plata: policía volador

Según la denuncia radicada en la comisaría cuarta, Liliana Gualtieri era novia del cabo primero de la policía bonaerense Alberto Minicelli, y lo abandonó cuando se enteró de que éste era casado y tenía hijos. Siempre según el testimonio de la mujer, él se presentó en su domicilio para devolverle un radiograbador pero ella no lo dejó entrar.

Pocos minutos después Liliana salió y el cabo, que se había escondido para esperarla, le apuntó con su arma y la obligó a regresar a su casa. Una vez allí, en el dormitorio, sin dejar de apuntarle en ningún momento, la violó. Acto seguido le entregó su reglamentaria y le dijo: "Ahora, por favor, matame".

Liliana se negó y entonces él se ofreció a llevarla en su moto al centro. Cuando el policía la dejó, ella se dirigió a la comisaría a radicar la denuncia. Interviene el juez Pablo Peralta Calvo que caratuló la causa como "Violación".

Córdoba: fugaron por el inodoro

Ocurrió a las 9 de la mañana de un martes frío de invierno. Isidro Rogelio Bazán, Oscar Alberto Ceferino Martínez, Julio Edgardo Murillo Argañaraz, José Eduardo Rasuchi, Claudio Martín Mongilardi, Tomás Sarmiento, Raúl Ornar Sosa, Marcelo Gustavo Alberto Rosales y Jesús Rosario Romero, todos encausados de la cárcel de Córdoba, situada en Belgrano al 1100, a solo 16 cuadras del centro, se fueron como por un inodoro.

Los nueve hombres escaparon a través de una cámara y las cañerías del sistema sanitario. Sí, se fugaron por la red cloacal. Ni un túnel necesitaron cavar. Afortunadamente, los prófugos no son sujetos de extrema peligrosidad. Son ladrones comunes, esperaban sentencia por delitos contra la propiedad. Igualmente el Comando Radioeléctrico de la Policía provincial los buscaba intensamente...

Estados Unidos: quería ser un ángel

Ya en varias oportunidades se ha hablado del tema de los dibujos animados que incitan al suicidio. ¿No recuerda haber leído al respecto? Tómese entonces un tiempo para sus hijos, ocúpese de ver los programas que ellos miran y se dará cuenta a qué nos referimos.

Este redactor ha visto personajes como el Pájaro Loco, Bugs Bunny y Droopy pegarse tiros en la cabeza. La madre de Jackie Johnson, una niña de 6 años oriunda de Dania, Florida, padece una enfermedad terminal. Trató de preparar a su hija para que aceptara su deceso: le dijo que iría al cielo y que los ángeles la cuidarían. ¡Para qué!

La nena se tiró al paso de un tren. Sus compañeritos del colegio contaron que "ella quiso ser un ángel para cuidar a su madre cuando llegue al cielo".

Tucumán: conciencia pesada

La joven de 14 años trabajaba en un cementerio realizando tareas de limpieza. Una tarde como tantas otras había ido con su hermanita de 12 años a cumplir con esa tarea, pero a las siete de la tarde desapareció. Se la había tragado la tierra, y justamente la del camposanto.

"Se la llevaron los muertos vivos", dijo su hermanita, pero había sido otro tipo de "vivo". Dante Oscar Romano, de 24 años, está acusado por la policía de ser el que la secuestró y la mantuvo encerrada durante toda una semana en una habitación.

Allí la violó en varias oportunidades hasta que lo detuvieron efectivos de la seccional de El Colmenar. ¿Cómo lo encontraron? Ahí está lo absurdo de la cuestión: ¡Romano se delató a sí mismo! La abuela de la joven la había estado buscando por todas partes cuando se encontró con el raptor, conocido de la familia, que le dijo: "Está en mi casa". ¿Conciencia pesada? ¿O inconsciencia?

El Salvador: basura desagradecida

Si la montaña no viene a Mahoma, Mahoma va a la montaña. Todos los días los indigentes de la denominada "Zona 5", en las afueras de Santa Tecla, iban a la montaña de basura (que la Municipalidad formó al borde de la hondonada de 75 metros de profundidad donde tenían sus casas) para buscar objetos que pudieran vender. De eso vivían; y por eso murieron. Persistentes lluvias ocasionaron que esa montaña de basura se derrumbara sobre la "Zona 5", rellenando la hondonada donde vivían centenares de familias. Más de veinte personas, entre hombres, mujeres y niños, murieron sepultadas vivas por toneladas de desperdicios y lodo.

Estados Unidos: otro asesino en serio

Irónicamente lo detuvieron por una infracción de tránsito: su camioneta rural no tenía chapa patente. Dos agentes de la policía caminera lo interceptaron, él aceleró y escapó. Lo persiguieron hasta que se estrelló contra una columna de alumbrado.

Cuando lo esposaban, el agente Sean Ruane olfateó un aroma nauseabundo que salía del baúl. "¿Qué tiene ahí adentro? ¿Un cadáver?", le preguntó al conductor de la camioneta. Y sí, efectivamente tenía el cuerpo de una prostituta muerta hacía 3 días.

Joel Rifkin, un jardinero paisajista de 34 años, luego confesaría que ésa era su víctima ¡número 20! entre las damas de la noche de 3 estados: Nueva York, Nueva Jersey y Connecticut. Las invitaba a subir a su camioneta, tenía relaciones sexuales con ellas y luego las estrangulaba o las asfixiaba con un almohadón. A algunas las arrojó al río Hudson, a otras en el Canal de Coney Island después de haberlas metido en un barril de petróleo, y a una en un basural de Somers. En el país de las series de televisión y de la producción en serie, apareció otro asesino en serio. Y van...

Inglaterra: peloteo entre gays

"Los homosexuales deberíamos tener los mismos derechos de las demás personas. Lo que dice la sociedad establecida es que las relaciones gay no duran, pero cuando intentamos volverlas legales para que efectivamente duren, no nos lo permiten", dijo la tenista checa Martina Navratilova a la prensa inglesa.

Paradójicamente, la que abogó a favor de la legislación de los matrimonios gay se separó de su pareja recientemente y fue eliminada del campeonato de Wimbledon justamente por una tenista lesbiana que vive en pareja: la también checa Jana Novotna, de 24 años. Esta se casó -no por registro civil, claro- con su entrenadora, Hana Madlikova, de 31 años, en una ceremonia celebrada en Queensland (Australia).

En el partido que le ganó a su compatriota y "colega gay" lució la alianza matrimonial. La Novotna había eliminado antes a la argentina y deliciosamente femenina 'Gaby' Sabatini.

*****

Redimidos del vía crucis de la vida

Dos hermanos. Dos calvarios. Hoy ya viejos, el destino decidió mostrarles la felicidad...

Hay personas que parecen estar signadas por la fatalidad. Personas a las que -aunque parezca increíble- nunca les fue un poquito bien en la vida. Los hermanos López son dos de esas personas. Sus historias parecen haber sido escritas para el más lacrimógeno teleteatro, pero son la más pura realidad. Por supuesto, siempre, en la peor de las existencias, queda alguna esperanza y la fatalidad se esfuma ante el rayo de luz que el destino -quizá compadecido- se digna arrojar sobre esos seres.

La luz de la dicha ha llegado para ellos. Quizás un poco tarde. Pero nunca es tarde, como dice el refrán.

Los hermanos López nacieron en Tres Algarrobos, un pueblo pequeño cercano a la bonaerense General Villegas, provincia de Buenos Aires, Argentina. Se encontraron después de cincuenta años de distancia e incomunicación. En el hogar de ancianos en la ciudad de Olavarría, donde actualmente viven, se contaron historias, se mostraron fotos, hasta que fueron descubriendo, paso a paso, que eran hermanos. El destino los unió acaso en el lugar indicado. Y, quizás, hasta la muerte. No tienen ningún otro familiar que los recuerde. Y optaron por acompañarse y abrigarse entre los dos.

María Elena López (65) fue abandonada por su madre en un hospital de niños en Buenos Aires, embarazada, producto de una violación. Tenía solo 12 años. A Miguel Antonio López (66) el destino lo llevó por los campos a trabajar de peón. Llegó a Olavarría con el mismo oficio, pero en un circo. Hoy tienen un hogar y una familia compuesta por más de 70 abuelos.

A la buena de Dios

Miguel cuenta cómo fue que se encontraron: "A ella la trajeron de La Plata. Y a mí me trajeron de la Escuela N° 4, donde concurría por la noche a aprender a leer y escribir. No tenía dónde vivir. Pedía por la calle."

María Elena también cuenta qué fue lo que los separó: "Mi madre me dejó abandonada en un hospital, en Buenos Aires, cuando era pequeña. Estaba embarazada por hombres de Tres Algarrobos. Me acuerdo cuando ella se iba y yo corría por los pasillos gritándole: "¡Mamá, quiero ir con mi mamá!" Y un hombre me dijo: "Ella no es tu mamá, es alguien que te encontró", pero yo sabía que era mi madre. Estuve ahí hasta que después me llevó una señora y me crio, cerca de la plaza San Martín. Me dijeron que mi hijo había nacido muerto. Eso es lo que me dijeron, pero pienso que me lo sacaron.

Después, tuve cuatro hijos en total. Pero a dos nenas me las quitaron. La única que se quedó conmigo se casó y tuvo dos hijitas que ahora están en un colegio de monjas en La Plata. Ella murió. Solo tengo esas dos nietitas.

Las hijas fueron de distinto padre. El matrimonio que me crio murió y me desalojó un hijo de ellos. No tenía dónde dormir; dormía en las plazas y a veces en la comisaría, donde me daban un lugar para que me quedara.

En una ocasión me enamoré de un vigilante, con el que tuve una hija. La reconoció, pero no pudimos vivir juntos porque era casado".

Cuando a María Elena se le pregunta qué piensa de la vida que le tocó vivir, ella responde: "Nada. A veces me despierto y me pongo a llorar. Me acuerdo de mis nietas. Las extraño mucho. No sé dónde queda el colegio. Sé que está en City Bell. Tengo miedo de que también me las quiten".

Su por recuerdo: "Me acuerdo de mi mamá. Aunque ella me haya abandonado. O tirado. Sé que no me quiso, pero yo la quiero igual. Aunque lo que no puedo olvidar es cuando me dejó en el hospital.

Ahora ocupo las horas del día limpiando, y platico con las amigas. Estoy con él, con mi hermano.

Cuando decidí buscarlo pensé que estaba en La Pampa. Pero no sabía por dónde empezar. Imagínese, vivía en la plaza y tapaba a mi hija con una frazada. A mí la gente siempre me ayudó. La policía nunca me hizo nada".

Y cuando se le pregunta qué siente por su hermano, contesta: "Cariño. Lo quiero. Estoy muy contenta de estar con él. Le doy cada mañana los buenos días, eso es muy importante para mí".

La vida nos unió

La madre de María y Miguel murió en Tres Algarrobos, ese pueblo solitario, polvoriento, casi salvaje. Vivieron como pudieron. Muy poco recuerda uno del otro. Hasta pareciera que la vida los hubiera anestesiado para siempre.

Miguel, fiel a los patrones —que eran los que le permitían el único pedazo de pan—, se transformó en esclavo. El matrimonio abandonó el circo y él los siguió. El dueño de casa lo obligaba a pagar con comida una miserable carpa. Todos los días tenía que traer determinada cantidad de alimentos para no quedar en la calle. Miguel los sentía como amigos: eran las únicas personas que conocía en la ciudad. Pero fueron otros de los tantos que se aprovecharon de su desamparo.

Cuando se le pregunta por dónde andaba cuando María deambulaba por las plazas, él contesta: "A mí me crio un hombre del campo, cerca de Tres Algarrobos. Trabajé con él, desde muy chico. Sabía lo que le había pasado a mi hermana, pero... mis hermanos eran cuatro. Uno falleció. Otra hermana está en Buenos Aires, pero no sé nada de ella.

Llegué a Olavarría trabajando con un circo. De peón. Me hubiera gustado actuar, pero no podía. Me hubiera gustado ser trapecista, andar con los leones, con los caballos...

Una vez tuve un caballo propio, tenía uno al que sentía mío; lo llamaba Loco. Pero me lo sacó un carnicero, sin decirme nada.

Nunca me casé y no tuve hijos. Las mujeres de aquella época

no eran como las de ahora. Tenía miedo de que me mataran si yo me propasaba con ellas, ya sea el marido o algún hombre que tuvieran por ahí".

Cuando se le pregunta si estuvo con alguna mujer contesta: "No me acuerdo. Tampoco estuve con ninguna que ejerciera la prostitución, nunca. Las artistas del circo después de la función trabajaban de prostitutas. Pero con ellas no se podía; yo era peón.

Ahora aquí en el hogar ocupo mi tiempo trabajando en la quinta, ordeño una vaca y estoy todo el día al aire libre. También, si alguien me acompaña con una guitarra canto milongas criollas".

Cuando a Miguel le preguntan si hay algún momento que recuerde como el más feliz de su vida, simplemente contesta "Ninguno".

Y en cuanto al momento más desgraciado, responde: "Antes de venir acá, cuando mantenía a esa familia pidiendo. El dueño de casa me obligaba. Él no trabajaba. Era prácticamente esclavo de esa familia, pero me aparté de él y me fui a trabajar de albañil. Después empecé a leer y escribir en la escuela para adultos y una señorita me ubicó en el hogar".

Cuando se le pregunta por María Elena, responde: "La quiero mucho, es mi hermana. La vida nos unió y eso me hizo mucho bien. No me siento solo. Y acá nos tratan como seres humanos".

Los hermanos López saben que no fueron felices. Pero que sentirse y tenerse es reparador. En el hogar no tienen permitido hacer pareja con otro anciano. Miguel no está mucho tiempo dentro de las instalaciones; prefiere la quinta, el patio, ya que toda su vida se desarrolló al aire libre.

Se saben protegidos por un techo y mucho cariño, por parte de las personas que los cuidan. Sienten amor por esa madre abandónica, pero única. Hoy se conforman y valoran que cada mañana se saluden con un "buenos días". Palabras que no pudieron pronunciar por más de cincuenta años.

*****

Zapatero: ¡a tus zapatos!

Según fuentes policiales, Miguel Ángel González había tenido en su historial algún contacto con el mundo del delito, pero en los últimos tiempos parecía que las cosas se le habían encarrilado: logró instalar una pequeña fábrica de zapatos en Lomas del Mirador, partido bonaerense de La Matanza.

Como socio de la pequeña empresa lo tenía a Héctor Oscar Ibáñez. Claro que últimamente se habían endeudado y les costaba inclusive pagarles a sus obreros. El local se llenó de comentarios cuando el lunes 26 de junio los primeros empleados que llegaron al Banco Federal —sucursal Lomas del Mirador (ubicado a dos cuadras de la fábrica)— descubrieron que la entidad había recibido a visitantes no gratos, seguramente durante el fin de semana.

Cuando la policía y los directivos de la importante institución, más el juez actuante —doctor Osvaldo Lorenzo, de los tribunales de Morón— se pusieron a sacar cuentas (¿qué otra cosa se hace en un banco?) obtuvieron el siguiente resultado: 24 cajas de seguridad habían sido despojadas de alhajas, dinero en efectivo de diversas denominaciones y países e importantes documentos que los tenedores de las cajas conservaban allí por estimar que era el lugar más seguro.

El valor de lo saqueado se estimó en varios millones de pesos, aunque no pudo determinarse fehacientemente pues es sabido que no está obligado a declarar (por eso su condición de "secretas") su contenido a ningún usuario. A pesar del disgusto los gerentes tuvieron una alegría en medio de la desgracia: los émulos de Rififí no habían logrado abrir el tesoro. Allí sí se sabía cuánto había y por cierto superaba sobradamente lo que pudieron llevarse de las cajas forzadas. Este despojo se agregaba a la seguidilla de asaltos a sedes bancarias que puso muy inquietos a autoridades policiales y gubernamentales. No tanto a los banqueros, porque el dinero que allí se maneja está asegurado. Pero en caso de producirse el hecho durante las horas de atención al público, nunca se sabe si como saldo resultará un herido grave o algún muerto, con lo que el prestigio en cuanto a seguridad también queda empañado ¡y cómo!

Lo cierto es que a raíz del episodio que nos ocupa los investigadores policiales "top" de la zona se pusieron a trabajar con denuedo, en silencio, con prisa y sin pausa. El comisario mayor Oscar Rossi y el comisario inspector Hugo Néstor Bañes, con el aporte "a full" del comisario Antonio Rodríguez y el subcomisario Daniel Rago se abocaron de lleno al esclarecimiento. En solo diez días estos veteranos sabuesos lograron plenamente el objetivo y detuvieron a cuatro individuos a quienes se les imputa la autoría. Ellos son: Miguel Ángel González, el zapatero, sus hermanos Daniel Esteban y Gabriel Rogelio González y su socio, Oscar Ibáñez.

¿Cómo fue que los investigadores llegaron a ellos? Comenzaron a descubrir que esta fábrica de zapatos se puso a saldar sus deudas en forma repentina y que empezaron a gastar en cosas caras y superfluas. La Justicia tiene ahora la palabra.

*****

Una niña plantada

Plantar un árbol, tener un hijo, escribir un libro. Son los tres preceptos para asegurarse la inmortalidad. Beatriz Barrera, de 30 años, había comenzado dando a luz hijos. Tenía dos varones, uno de 18 meses y otro de 6 años, y una nena: Nelly Blanca Barrera, de 7 años. Y estaba embarazada de 7 meses. Le faltaba plantar un árbol y escribir un libro. La mujer tenía claro esos 3 preceptos. El que secuestró a su hija mayor los tenía absolutamente trastocados, mezclados y trastornados.

A las 17.15 de una hermosa tarde de domingo, la pequeña Nelly salió de su casa en Mariscal Nasazzi, entre calles 5 y 7 de Playa Pascual, zona conocida como Villa Olímpica, enviada por su madre al almacén de su tío, el cual quedaba a pocos metros del cruce de las calles Bella Vista y los Peñaroles.

Tenía que hacer unas compras, pero como su pariente no estaba en el lugar, decidió regresar más tarde. Pero no solo no regresó al almacén, sino que tampoco llegó a su casa. A las 22 del mismo día su madre y su padrastro radicaron la denuncia. Treinta efectivos policiales rastrillaron la zona hasta que al mediodía del lunes 5 finalmente la encontraron. Sí, la hallaron, pero muerta. Todo Uruguay se estremeció.

Estaba en la franja costera del Río de la Plata, a unos 40 metros del final de la calle Serafín J. García. Nelly Blanca yacía de cubito ventral dentro del pozo que dejó la base de un árbol caído, un eucalipto. Tenía la ropa interior baja, la habían golpeado, violado y estrangulado. Su cadáver fue trasladado a Montevideo para hacerle la autopsia. Personal de Policía Técnica y de la Dirección de Investigaciones de San José se abocaron a la búsqueda de pistas para intentar hallar al salvaje criminal. Fue detenido un sospechoso y era interrogado por el juez letrado de primera instancia. Si es el asesino seguramente sus preceptos no serán "plantar un árbol, tener un hijo, escribir un libro", sino violar y matar una niña, enterrarla en el agujero donde había estado plantado un árbol y dejar que la prensa escriba un libro sobre el crimen.

*****

Hablaré en el momento oportuno

Lo primero que hizo fue ir a buscar a su hijo al colegio. El niño no sabía nada que su padre había recuperado la libertad en las últimas horas del día 8. El reencuentro fue doblemente emocionante. Raúl no había podido celebrar con toda la familia el ingreso de su hijo al Colegio Militar ni el de una de sus hijas a la universidad.

Hacía 19 meses que conocía, por primera vez en su vida, la amargura del oprobio, la soledad de la impotencia, la crueldad de la injusticia. ¿Cuántas veces había sido él, precisamente él, culpable de que otro ser se sintiera igual de desgraciado, igual de impotente, encarcelado por un delito que juraba una y mil veces no haber cometido?

Porque Raúl González, a lo largo de su carrera, sobre todo ya en la cúspide, se había sentido por momentos dueño de vidas y haciendas. Tenía el grado de comisario mayor y se desempeñaba como jefe del área técnica de la Superintendencia de Comunicaciones en el Departamento Central de la Policía Federal cuando la noche se le vino encima.

De buenas a primeras fue involucrado en la llamada "banda de los comisarios", cuya desarticulación y nombres de sus presuntos integrantes dio a conocer, por la cadena de radio y televisión, el ex ministro del Interior de esa época, José Luis Manzano. El nombre le fue puesto porque cuatro de los imputados eran —o habían sido, como en el caso de José Ahmed— oficiales superiores.

El de mayor jerarquía era González. Fue una conmoción, constituyó a, no dudar, un golpe de efecto político para contrarrestar las críticas originadas en el secuestro de Mauricio Macri. Sin embargo, observando la expansión de que hacían gala tanto el jefe de Policía, comisario general Passero, como el subjefe, comisario general Varela, en los programas "amigos" eran notorios, por contraste, la reticencia y el mutismo en que se encerraban ante un cuestionario periodístico a fondo, de verdad, con agudeza.

Baste decir que había cosas que no cerraban. Las imputaciones al comisario mayor González eran algunas de ellas. Lo que no se terminaba de entender eran las presuntas pruebas que, se decía, lo incriminaban y la persecución de que comenzaron a ser objeto los integrantes de su grupo familiar cuando la esposa de González —Mirta, profesora de historia y geografía— empezó a gritar a los cuatro vientos la inocencia de su marido y a fundamentarla.

Los medios tuvieron ocasión de dialogar con González a poco de salir de la cárcel de Caseros, a donde permaneció desde que el juez Nerio Bonifatti lo hallara partícipe secundario primero, y partícipe primario después (sin que se pudiera hallar en parte alguna del expediente el fundamento del cambio de figura). Lo que sigue es el tramo sobresaliente de esa conversación:

—¿Entiende usted que está totalmente esclarecido el secuestro de Mauricio Macri? Usted lo estuvo investigando. ¿Había llegado a algún punto importante o no?

"Yo cumplí una tarea de investigación técnica en un momento determinado, cuando se había perdido el contacto con quienes habían secuestrado al empresario. No puedo decir si era muy importante, menos o más importante, porque cumplí exclusivamente una tarea de inteligencia técnica".

—¿Quién se la había ordenado?

"El jefe de la Policía Federal a través del señor subjefe".

—¿En esos niveles las órdenes se dan por escrito o verbalmente?

"A quienes estamos bajo un sistema verticalista y disciplinario, y a nivel de oficial superior, yo al subjefe de Policía no le puedo pedir una orden por escrito".

—¿A quién le entregó usted el resultado de su investigación?

"Al jefe de la Policía Federal en su despacho, el día 7 de setiembre (de 1991) a la hora 1.30. Era el resultado de las grabaciones donde constaba la comunicación entre la víctima del secuestro y su padre y el lugar donde se encontraba. Todo eso lo tuvo en su momento el señor jefe y hay testigos que manifestaron exactamente lo mismo en la causa".

—¿Qué grado de responsabilidad adjudica al ex ministro del

Interior por su detención?

"Yo entiendo que el gran responsable es ese nefasto personaje. Ya que este hombre necesitaba un rédito político muy importante para levantar su imagen y evidentemente necesitaba chivos expiatorios, gente de peso. A él no le importaba Raúl González en particular sino su grado, como el grado de los dos comisarios en actividad que ya vimos cómo fueron utilizados".

—¿Cómo pudieron admitir eso el jefe y el subjefe de Policía?

"Bueno, yo no estoy en la cabeza de mis superiores. Entiendo que fueron sobrepasados totalmente por las ambiciones de un hombre que quería tener más poder que el poder mismo".

—¿A qué atribuye los atentados de los que fue objeto su familia?

"Yo no tengo pruebas como para achacarle la culpa a alguien. Pero entiendo que debe haber alguna persona que debe estar muy preocupada por lo que pueda saber o qué pruebas pueda tener el comisario mayor González. Pero desconozco qué es lo que puedo tener como para molestar a alguien".

—¿No cree que hay gente que está muy atemorizada porque usted recuperó la libertad?

"Supongo que alguien debe estar preocupado. Debe ser algo muy duro".

—¿Usted cree que Camilo Ahmed se suicidó?

"Por lo que leí, evidentemente es muy sospechoso. Es muy raro que alguien piense en quitarse la vida por dos caminos distintos y en un mismo momento: pegarse un tiro y, por las dudas, hacerlo sentado al borde de un balcón para que si falla uno el otro sea efectivo. Cayendo desde el piso 12 seguro que moría".

—¿Piensa iniciar demanda judicial contra alguna persona?

"En su momento y cuando mi letrado lo estime conveniente acudiré a la Justicia para pedir la aplicación de la ley con todo el rigor que corresponda".

El tiempo resulta poco para estar junto a la familia. "En la cárcel comprendí cuánto más le había dedicado a la Policía que a ellos. Las cosas serán diferentes ahora", afirma el comisario mayor González.

*****

El asesinato de la minusválida

Susana Beatriz Nieto, de 51 años, era una minusválida que vivía con sus padres, y quien pudo sobrevivir a la muerte de sus progenitores debido a un fatal accidente automovilístico.

La desaparición de la figura materna llevó a Susana a vivir con su hermana menor, Stella Maris (47), que tomó entonces la decisión de cobijarla bajo su techo.

El domingo 27 de junio del año 1993 Stella Maris, junto a su compañero, Claudio Guevara (41), y a su hermana Susana se presentaron en el hospital de la bonaerense José Ingenieros (partido de Tres de Febrero). Ya en el nosocomio, Stella Maris explicó a los facultativos que la minusválida se había caído y golpeado contra el piso. A las pocas horas de ese mismo día, Susana dejaba de existir.

El caso de muerte dudosa convocó a los efectivos de la comisaría 85 de Tres de Febrero a investigar de inmediato y a poner lo ocurrido en conocimiento del juez Osvaldo Fernando Gannon (San Martín). Las averiguaciones no demoraron en poner en claro que, harta de su hermana, Stella Maris, junto con su pareja, solía castigar duramente a la pobre Susana desde mucho tiempo atrás.

Con esta sospecha y el informe de la autopsia (la víctima presentaba escoriaciones y hematomas de vieja data en distintas partes del cuerpo) realizada por el doctor Néstor Pedro De Tomas, el juez dispuso allanar la finca del Pasaje Enrique Larreta al 1700 de José Ingenieros.

Una vez en el domicilio mencionado, expertos del SEIT (Servicio de Investigaciones Técnicas) procedió a secuestrar un trozo de madera de 1,04 metros de longitud con adherencias de sangre (aparentemente el arma que provocó la muerte de la occisa) y a verificar las distintas manchas de sangre que había en el piso y en algunas paredes de la vivienda.

Tras evaluar, concienzudamente, los innumerables rastros dejados por la cruel hermana y su pareja, el magistrado Osvaldo Gannon dispuso la detención de ambos, inculpándolos del delito de homicidio.

Stella Maris y Claudio Guevara fueron detenidos y estaban aguardando el juicio en su contra, donde se conocerían los detalles y el porqué del maltrato al que fue sometida Susana Nieto. Mientras tanto, los imputados tendrán tiempo de sobra para arrepentirse. Si es que se arrepienten.

*****

Estimado Lector

Nos interesan mucho sus comentarios y opiniones sobre esta obra. Por favor ayúdenos comentando sobre este libro. Puede hacerlo dejando una reseña en la tienda donde lo ha adquirido.

Puede también escribirnos por correo electrónico a la dirección **info@editorialimagen.com**

Si desea más libros como éste puedes visitar el sitio de **Editorialimagen.com** para ver los nuevos títulos disponibles y aprovechar los descuentos y precios especiales que publicamos cada semana.

Allí mismo puede contactarnos directamente si tiene dudas, preguntas o cualquier sugerencia. ¡Esperamos saber de usted!

Más Libros del Autor

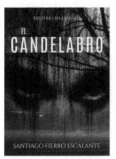

El Candelabro

En esta novela de misterio y suspenso, Pedro, un vagabundo de unos 35 años, deambula por la ciudad. Pero, ¿Cómo llegó allí? ¿Es cierto todo lo que se dice de él? ¿Qué fue lo que verdaderamente le sucedió a toda su familia? ¿Por qué esa obsesión con ese antiguo candelabro de bronce?
Si estás buscando una historia de suspenso corta que no puedas dejar de leer, entonces este libro es para ti!

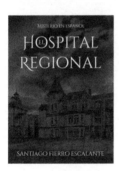

El Hospital Regional

En esta novela de misterio y suspenso, la familia Rodríguez regresa de unas merecidas vacaciones en la costa, pero el automóvil en el que venían sufre un desperfecto. Están a 20 kilómetros del pueblo más cercano y frente a un desolado paisaje. Lo único que les queda es pedir asilo temporario en la última casa que vieron pasar.

El Grito

En esta novela de misterio y suspenso, Julio, principal protagonista, es un estudiante universitario.

La historia da comienzo en una cafetería en la que Julio comienza a escuchar una voz que pide auxilio desde el fondo del recinto.

Historias Reales de Misterio

¿Cuáles son los misterios que rodean la vieja torre de Londres? ¿Quién fue El monstruo de Gloucester? ¿Cuáles son los secretos que esconde la casa matusita en Perú? Éstos y otros misterios están detallados en este libro que no solamente reune extraños incidentes ocurridos en el mundo entero, sino también aquellos poco conocidos por gente común que cuenta lo que ha vivido.

*****